1ª edizione, Giulio Einaudi Editore, 1953

1ª edizione economica, Vallecchi Editore, 1967

Anna Maria Ortese

IL MARE NON BAGNA NAPOLI

Vallecchi Editore Firenze

Un paio di occhiali

— *Ce sta' o sole... 'o sole!* — canticchiò, quasi sulla soglia del *basso*, la voce di don Peppino Quaglia. — Lascia fa' a Dio, — rispose dall'interno, umile e vagamente allegra, quella di sua moglie Rosa, che gemeva a letto con i dolori artritici, complicati da una malattia di cuore; e soggiunse, rivolta a sua cognata che si trovava nel gabinetto: — Sapete che faccio, Nunziata? Più tardi mi alzo e levo i panni dall'acqua.

— Fate come volete, per me è una vera pazzia, — disse dal bugigattolo la voce asciutta e triste di Nunziata; — con i dolori che tenete, un giorno di letto in più non vi farebbe male! — Un silenzio. — Dobbiamo mettere dell'altro veleno, mi sono trovato uno scarrafone nella manica, stamattina.

Dal lettino in fondo alla stanza, una vera grotta, con la volta bassa di ragnatele penzolanti, si levò, fragile e tranquilla, la voce di Eugenia:

— Mammà, oggi mi metto gli occhiali.

C'era una specie di giubilo segreto nella voce modesta della bambina, terzogenita di don Peppino (le prime due, Carmela e Luisella, stavano con le monache, e presto avrebbero preso il velo, tanto s'erano persuase che questa vita è un gastigo; e i due piccoli, Pasqualino e Teresella, ronfavano ancora, capovolti, nel letto della mamma).

— Sì, e scàssali subito, mi raccomando! — insisté, dietro la porta dello stanzino, la voce sempre irritata della zia. Essa faceva scontare a tutti i dispiaceri della sua vita, primo fra gli altri quello di non essersi maritata e di dover andare soggetta, come raccontava, alla carità della cognata, benché non mancasse di aggiungere che offriva questa umiliazione a Dio. Di suo, però, aveva qualche cosa da parte, e non era cattiva, tanto che si era offerta lei di fare gli occhiali ad Eugenia, quando in casa si erano accorti che la bambina non ci vedeva. — Con quello che costano! Ottomila lire vive vive! — soggiunse. Poi si sentì correre l'acqua nel catino. Si stava lavando la faccia, stringendo gli occhi pieni di sapone, ed Eugenia rinunciò a risponderle.

Del resto, era troppo, troppo contenta.

Era stata una settimana prima, con la zia, da un occhialaio di Via Roma. Là, in quel negozio elegante, pieno di tavoli lucidi e con un riflesso verde, meraviglioso, che pioveva da una tenda, il dottore le aveva misurato la vista, facendole leggere più volte, attraverso certe lenti che poi cambiava, intere colonne di lettere dell'alfabeto, stampate su un cartello, alcune grosse come scatole, altre piccolissime come spilli. — Questa povera figlia è quasi cecata, — aveva detto poi, con una specie di commiserazione, alla zia, — non si deve più togliere le lenti —. E subito, mentre Eugenia, seduta su uno sgabello, e tutta trepidante, aspettava, le aveva applicato sugli occhi un altro paio di lenti col filo di metallo bianco, e le aveva detto: — Ora guarda nella strada —. Eugenia si era alzata in piedi, con le gambe che le tremavano per l'emozione, e non aveva potuto reprimere un piccolo grido di gioia. Sul marciapiede passavano, nitidissime, appena più piccole del normale, tante persone ben vestite: signore con abiti di seta e visi incipriati, giovanotti coi capelli lunghi e il *pullover* colorato, vecchietti con la barba bianca e le mani rosa appoggiate sul bastone dal pomo d'argento; e, in mezzo alla strada, certe belle automobili che sembravano giocattoli, con la carrozzeria dipinta in rosso o in verde petrolio, tutta luccicante; filobus grandi come case, verdi, coi vetri abbassati, e dietro i vetri tanta gente vestita elegantemente; al di là della strada, sul marciapiede opposto, c'erano negozi bellissimi, con le vetrine come specchi, piene di roba fina, da dare una specie di struggimento; alcuni commessi col grembiule nero, le lustravano dall'esterno. C'era un caffè coi tavolini rossi e gialli e delle ragazze sedute fuori, con le gambe una sull'altra e i capelli d'oro. Ridevano e bevevano in bicchieri grandi, colorati. Al disopra del caffè, balconi aperti, perché era già primavera, con tende ricamate che si muovevano, e, dietro le tende, pezzi di pittura azzurra e dorata, e lampadari pesanti d'oro e cristalli, come cesti di frutta artificiale, che scintillavano. Una meraviglia. Rapita da tutto quello splendore, non aveva seguito il dialogo tra il dottore e la zia. La zia, col vestito marrò della messa, e tenendosi distante dal banco di vetro, con una timidezza poco naturale in lei, abbordava ora la questione del prezzo: — Dottò, mi raccomando, fateci risparmiare... povera gente siamo... — e, quando aveva sentito « ottomila lire », per poco non si era sentita mancare.

— Due vetri! Che dite! Gesù Maria!

— Ecco quando si è ignoranti... — rispondeva il dottore, riponendo le altre lenti dopo averle lustrate col guanto, — non si calcola nulla. E metteteci due vetri, alla creatura, mi saprete dire se ci vede meglio. Tiene nove diottrìe da una parte, e dieci dall'altra, se lo volete sapere... è quasi cecata.

Mentre il dottore scriveva nome e cognome della bambina: « Eugenia Quaglia, vicolo della Cupa a Santa Maria in Portico », Nunziata si era accostata ad Eugenia, che sulla soglia del negozio, reggendosi gli occhiali con le manine sudice, non si stancava di guardare: — Guarda,

guarda, bella mia! Vedi che cosa ci costa questa tua con-solazione! Ottomila lire, hai sentito? Ottomila lire, vive vive! — Quasi soffocava. Eugenia era diventata tutta rossa, non tanto per il rimprovero, quanto perché la si-gnorina della cassa la guardava, mentre la zia le faceva quell'osservazione che denunziava la miseria della fami-glia. Si tolse gli occhiali.

— Mo come va, così giovane e già tanto miope? — aveva chiesto la signorina a Nunziata, mentre firmava la ricevuta dell'anticipo; — e anche sciupata! — soggiunse.

— Signorina bella, in casa nostra tutti occhi buoni teniamo, questa è una sventura che ci è capitata... in-sieme alle altre. Dio sopra la piaga mette il sale...

— Tornate fra otto giorni, — aveva detto il dotto-re, — ve li farò trovare.

Uscendo, Eugenia aveva inciampato nello scalino.

— Vi ringrazio, zi' Nunzia, — aveva detto dopo un poco; — io sono sempre scostumata con voi, vi rispondo, e voi così buona mi comprate gli occhiali...

La voce le tremava.

— Figlia mia, il mondo è meglio non vederlo che ve-derlo, — aveva risposto con improvvisa malinconia Nun-ziata.

Neppure questa volta Eugenia le aveva risposto. Zi' Nunzia era spesso così strana, piangeva e gridava per niente, diceva tante brutte parole e, d'altra parte, andava a messa con compunzione, era una buona cristiana, e quando si trattava di soccorrere un disgraziato, si offriva sempre, piena di cuore. Non bisognava badarle.

Da quel giorno, Eugenia aveva vissuto in una specie di rapimento, in attesa di quei benedetti occhiali che le avrebbero permesso di vedere tutte le persone e le cose nei loro minuti particolari. Fino allora, era stata avvolta in una nebbia: la stanza dove viveva, il cortile sempre pieno di panni stesi, il vicolo traboccante di colori e di grida, tutto era coperto per lei da un velo sottile: solo il viso dei familiari, la mamma specialmente e i fratelli, conosceva bene, perché spesso ci dormiva insieme, e qualche volta si svegliava di notte, e al lume della lampada a olio, li guardava. La mamma dormiva con la bocca aperta, si vedevano i denti rotti e gialli; i fratelli, Pasqualino e Teresella, erano sempre sporchi e coperti di foruncoli, col naso pieno di catarro: quando dormivano, facevano un rumore strano, come se avessero delle bestie dentro. Eugenia, qualche volta, si sorprendeva a fissarli, senza capire, però, che stesse pensando. Sentiva confusamente che al di là di quella stanza, sempre piena di panni bagnati, con le sedie rotte e il gabinetto che puzzava, c'era della luce, dei suoni, delle cose belle; e, in quel momento che si era messa gli occhiali, aveva avuto una vera rivelazione: il mondo, fuori, era bello, bello assai.

— Marchesa, omaggi...
Questa era la voce di suo padre. La spalla coperta da una camicia stracciata, che fino a quel momento era stata inquadrata dalla porta del *basso*, non si vide più. La voce della marchesa, una voce placida e indifferente, diceva adesso:
— Dovreste farmi un piacere, don Peppino...
— Ai vostri ordini... comandate...
Eugenia sgusciò dal letto, senza far rumore, s'infilò il vestito e venne sulla porta, ancora scalza. Il sole, che di prima mattina, da una fenditura del caseggiato, entrava nel brutto cortile, le venne incontro, così puro e meraviglioso, illuminò il suo viso di piccola vecchia, i capelli come stoppa, tutti arruffati, le manine ruvide, legnose, con le unghie lunghe e sporche. Oh, se in quel momento avesse avuto gli occhiali! La marchesa era là, col suo vestito di seta nera, la cravattina di pizzo bianco, con quel suo aspetto maestoso e benigno, che incantava Eu-

genia, le mani bianche e piene di gioielli; ma il viso non si vedeva bene, era una macchia bianchiccia, ovale. Là sopra, tremavano delle piume viola.

— Sentite, dovreste rifarmi il materasso del bambino... potete salire verso le dieci e mezza?

— Con tutto il cuore, ma io sarei disposto nel pomeriggio, signora marchesa...

— No, don Peppino, di mattina deve essere. Nel pomeriggio viene gente. Vi mettete sul terrazzo e lavorate. Non vi fate pregare... fatemi questo favore... Ora sta suonando la messa. Quando sono le dieci e mezza, mi chiamate...

E, senza aspettare risposta, si allontanò, scansando accortamente un filo d'acqua gialla che scorreva da un terrazzino e aveva fatto una pozza a terra.

— Papà, — disse Eugenia andando dietro a suo padre che rientrava nel *basso*, — la marchesa quant'è buona! Vi tratta come un galantuomo. Il Signore glielo deve rendere!

— Una buona cristiana, questo è, — rispose, con tutt'altro significato di quello che si sarebbe potuto intendere, don Peppino. Con la scusa ch'era proprietaria della casa, la marchesa D'Avanzo si faceva servire continuamente dalla gente del cortile; a don Peppino, per i materassi, metteva in mano una miseria; Rosa, poi, era sempre a sua disposizione per le lenzuola grandi, anche se le ossa le bruciavano si doveva alzare per servire la marchesa; è vero che le figlie gliele aveva fatte chiudere lei, e così aveva salvato due anime dai pericoli di questo mondo, che pei poveri sono tanti, ma per quel terraneo, dove tutti si erano ammalati, si pigliava tremila lire, non una di meno. — Il cuore ci sarebbe, sono i soldi che mancano, — amava ripetere con una certa flemma. — Oggi, caro don Peppino, i signori siete voi, che non avete pensieri... Ringraziate... ringraziate la Provvidenza, che vi ha messo in questa condizione... che vi ha voluto salvare... — Donna Rosa aveva una specie di adorazione per la marchesa, per i suoi sentimenti religiosi: quando si vedevano, parlavano sempre dell'altra vita. La marchesa ci credeva poco, ma non lo diceva, ed esortava quella madre di famiglia a pazientare e sperare.

Dal letto, donna Rosa chiese, un po' preoccupata: — Le hai parlato?

— Vuole fare il materasso al nipote, — fece don Peppino annoiato. Portò fuori il treppiede col fornello per scaldare un po' di caffè, regalo delle monache, e rientrò ancora per prendere dell'acqua in un pentolino. — Non glielo faccio per meno di cinquecento, — disse.

— È un prezzo giusto.

— E allora, chi va a ritirare gli occhiali di Eugenia? — domandò zi' Nunzia uscendo dallo sgabuzzino. Aveva, sopra la camicia, una gonna scucita, ai piedi le ciabatte. Dalla camicia, le uscivano le spalle puntute, grige come pietre. Si stava asciugando la faccia in un tovagliolo. — Io, per me, non ci posso andare, e Rosa è malata...

Senza che nessuno li vedesse, i grandi occhi quasi ciechi di Eugenia si riempirono di lacrime. Ecco, forse sarebbe passata un'altra giornata senza che avesse i suoi occhiali. Andò vicino al letto della madre, abbandonò le braccia e la fronte sulla coperta, in un atteggiamento compassionevole. Una mano di donna Rosa si allungò a carezzarla.

— Ci vado io, Nunzia, non vi scaldate... anzi, uscire mi farà bene...

— Mammà...

Eugenia le baciava una mano.

Alle otto, c'era una grande animazione nel cortile. Rosa era uscita in quel momento dal portone, alta figura allampanata, col cappotto nero, senza spalline, pieno di macchie e corto da scoprirle le gambe simili a bastoncini di legno, la borsa della spesa sotto il braccio, perché al ritorno dall'occhialaio avrebbe comprato il pane. Don Peppino, con una lunga scopa in mano, stava togliendo l'acqua di mezzo al cortile, fatica inutile perché il mastello ne dava continuamente, come una vena aperta. Là dentro c'erano i panni di due famiglie: le sorelle Greborio, del primo piano, e la moglie del cavaliere Amodio, che aveva avuto un bambino due giorni avanti. Era appunto la serva della Greborio, Lina Tarallo, che stava sbattendo i tappeti a un balconcino, con un fracasso terribile. La polvere scendeva a poco a poco, mista a vera immondizia, come una nuvola, su quella povera gente, ma nessuno ci faceva caso. Si sentivano strilli acutissimi e pianti: era zi' Nunzia, che dal *basso*, chiamava a testimoni tutti i santi per affermare ch'era stata una disgraziata, e la causa di tutto questo era Pasqualino che piangeva e urlava come un dannato perché voleva andare dietro alla mamma. — Vedetelo, questo sforcato! — gridava zi' Nunzia. — Madonna bella, fatemi la grazia, fatemi morire, ma subito, se ci state, tanto in questa vita non stanno bene che i ladri e le male femmine —. Teresella, più piccola di suo fratello, perché era nata l'anno che il re era andato via, seduta sulla soglia di casa, sorrideva, e, ogni tanto, leccava un cantuccio di pane che aveva trovato sotto una sedia.

Seduta sullo scalino di un altro *basso*, quello di Mariuccia la portinaia, Eugenia guardava un pezzo di giornale per ragazzi, ch'era caduto dal terzo piano, con tante figurine colorate. Ci stava col naso sopra, perché se no non leggeva le parole. Si vedeva un fiumiciattolo azzurro, in mezzo a un prato che non finiva mai, e una barca rossa che andava... andava... chissà dove. Era scritto in italiano, e per questo lei non capiva troppo, ma ogni tanto, senza un motivo, rideva.

— Così, oggi ti metti gli occhiali? — disse Mariuccia, affacciandosi alle sue spalle. Tutti, nel cortile, lo sapevano, e perché Eugenia non aveva resistito alla tentazione di raccontarlo, e anche perché zi' Nunzia aveva trovato necessario far capire che, in quella famiglia, lei spendeva del suo... e che insomma...

— Te li ha fatti la zia, eh? — soggiunse Mariuccia, sorridendo bonariamente. Era una donna piccola, quasi nana, con un viso da uomo, pieno di baffi. In quel momento si stava pettinando i lunghi capelli neri, che le arrivavano al ginocchio: una delle poche cose che attestassero che era anche una donna. Se li pettinava lentamente, sorridendo coi suoi occhietti di topo, furbi e buoni.

— Mammà li è andati a ritirare a Via Roma, — disse Eugenia con uno sguardo di gratitudine. — Li abbiamo pagati ottomila lire, sapete? Vive vive... La zia è... — stava aggiungendo « proprio buona », quando zi' Nunzia, affacciandosi al *basso*, chiamò inviperita: — Eugenia!

— Eccomi qua, zia! — e corse come un cane.

Dietro la zia, Pasqualino, tutto rosso e sbalordito, con una smorfia terribile, tra lo sdegno e la sorpresa, aspettava.

— Vammi a comprare due caramelle da tre lire l'una, da don Vincenzo il tabaccaio. Torna subito!

— Sì, zia.

Prese i soldi nel pugno, senza più curarsi del giornale, e uscì lesta dal cortile.

Per un vero miracolo scansò un carro di verdura alto come una torre e tirato da due cavalli, che le stava venendo addosso all'uscita dal portone. Il carrettiere, con la frusta sguainata, sembrava cantasse, e dalla bocca gli uscivano intanto queste parole: « bella... fresca... », strascicate e piene di dolcezza, come un canto d'amore. Quando il carro fu alle sue spalle, lei, alzando in alto i suoi occhi sporgenti, scorse quel bagliore caldo, azzurro, ch'era il cielo, e sentì, senza però vederla chiaramente, la gran festa che c'era intorno. Carretti, uno dietro l'altro; grossi camion con americani vestiti di giallo che si sporgevano dal finestrino, biciclette che sembrava rotolassero. In alto, i balconi erano tutti ingombri di cas-

sette fiorite, e alle inferriate penzolavano, come gual-
drappe di cavallo, come bandiere, coperte imbottite
gialle e rosse, straccetti celesti di bambini, lenzuola, cu-
scini e materasse esposte all'aria, e si snodavano le corde
dei canestri che scendevano in fondo al vicolo per ritirare la verdura o il pesce offerto dai venditori ambulanti.
Benché il sole non toccasse che i balconi più alti (la strada era come una spaccatura nella massa disordinata delle
case), e il resto non fosse che ombra e immondizia, si
presentiva, là dietro, l'enorme festa della primavera. E
pur così piccola e scialba, legata come un topo al fango
del suo cortile, Eugenia cominciava a respirare con una
certa fretta, come se quell'aria, quella festa e tutto quel-
l'azzurro ch'erano sospesi sul quartiere dei poveri, fossero anche cosa sua. Mentre entrava dal tabaccaio, la
sfiorò il paniere giallo della serva di Amodio, Buonincontri Rosaria. Era grassa, vestita di nero, con le gambe
bianche e il viso acceso, pacifico.

— Di' a mammà se oggi può salire un momento sopra, la signora Amodio le deve fare un'ambasciata.

Eugenia la riconobbe alla voce.

— Ora non ci sta. È andata a Via Roma a ritirarmi
gli occhiali.

— Io pure me li dovrei mettere, ma il mio fidanzato
non vuole.

Eugenia non afferrò il senso di quella proibizione.
Rispose solo, ingenuamente:

— Costano assai assai, bisogna tenerli riguardati.

Entrarono insieme nel buco di don Vincenzo. C'era
gente. Eugenia era respinta sempre indietro. — Fatti
avanti... sei proprio cecata, — osservò con un bonario
sorriso la serva di Amodio.

— Ma zi' Nunzia ora le fa gli occhiali, — intervenne,
strizzando l'occhio, con aria d'intesa scherzosa, don Vincenzo che aveva sentito. Anche lui portava gli occhiali.

— Alla tua età, — disse porgendole le caramelle, —
ci vedevo come un gatto, infilavo gli aghi di notte, mia

nonna mi voleva sempre appresso... Ma ora sono invecchiato.

Eugenia assentì vagamente.

— Le mie compagne, nessuna tengono le lenti, — disse. Poi rivolta alla Buonincontri, ma parlando anche per don Vincenzo: — Io sola... Nove diottrìe da una parte e dieci dall'altra... sono quasi cecata! — sottolineò dolcemente.

— Vedi quanto sei fortunata... — disse don Vincenzo ridendo; e a Rosaria: — Quanto di sale?

— Povera creatura! — commentò la serva di Amodio mentre Eugenia usciva, tutta contenta. — È l'umidità che l'ha rovinata. In quella casa ci chiove. Ora donna Rosa ha i dolori nelle ossa. Datemi un chilo di sale grosso, e un pacchetto di quello fino...

— Sarete servita.

— Che mattinata, eh, oggi, don Vincenzo? Sembra già l'estate.

Camminando più adagio di quando era venuta, Eugenia cominciò a sfogliare, senza rendersene ben conto, una delle due caramelle, e poi se la infilò in bocca. Sapeva di limone. — Dico a zi' Nunzia che l'ho perduta per la strada, — propose dentro di sé. Era contenta, non le importava se la zia, così buona, si sarebbe arrabbiata. Si sentì prendere una mano, e riconobbe Luigino.

— Sei proprio cecata! — disse ridendo il ragazzo. — E gli occhiali?

— Mammà è andata a prenderli a Via Roma.

— Io non sono andato a Scuola, è una bella giornata, perché non ce ne andiamo a camminare un poco?

— Sei pazzo! Oggi debbo stare buona...

Luigino la guardava e rideva, con la sua bocca come un salvadanaio, larga fino alle orecchie, sprezzante.

— Tutta spettinata...

Istintivamente, Eugenia si portò una mano ai capelli.

— Io non ci vedo buono, e mammà non tiene tempo, — rispose umilmente.

— Come sono questi occhiali? Col filo dorato? — s'informò Luigino.

— Tutto dorato! — rispose Eugenia mentendo, — lucenti lucenti!

— Le vecchie portano gli occhiali, — disse Luigino.

— Anche le signore, le ho viste a Via Roma.

— Quelli sono neri, per i bagni, — insisté Luigino.

— Parli per invidia. Costano ottomila lire...

— Quando li hai avuti, fammeli vedere, — disse Luigino. — Mi voglio accertare se il filo è proprio dorato... sei così bugiarda... — e se ne andò per i fatti suoi, fischiettando.

Rientrando nel portone, Eugenia si domandava ora con ansia se i suoi occhiali avrebbero avuto o no il filo dorato. In caso negativo, che si poteva dire a Luigino per persuaderlo ch'erano una cosa di valore? Però, che bella giornata! Forse mammà stava per tornare con gli occhiali chiusi in un pacchetto... Fra poco li avrebbe avuti sul viso... avrebbe... Una furia di schiaffi si abbatté sulla sua testa. Una vera rovina. Le sembrava di crollare; inutilmente si difendeva con le mani. Era zi' Nunzia, naturalmente, infuriata per il ritardo, e dietro zi' Nunzia, Pasqualino, come un ossesso, perché non credeva più alla storia delle caramelle. — Butta il sangue!... Tieni!... Brutta cecata!... E io che ho dato la vita mia per questa ingratitudine... Finire male, devi! Ottomila lire, vive vive! Il sangue mi tolgono dalle vene, questi sforcati...

Lasciò cadere le mani solo per scoppiare in un gran pianto. — Vergine Addolorata, Gesù mio, per le piaghe del vostro costato, fatemi morire!...

Anche Eugenia piangeva, dirottamente.

— 'A zi', perdonatemi... 'a zi'...

— Uh... uh... uh... — faceva Pasqualino, con la bocca spalancata.

— Povera creatura... — fece donna Mariuccia andando vicino ad Eugenia, che non sapeva dove nascondere la faccia, tutta rigata di rosso e di lacrime davanti al dispiacere della zia; — non l'ha fatto apposta, Nunzia... calmatevi... — E ad Eugenia: — Dove tieni le caramelle?

Eugenia rispose piano, perdutamente, offrendo l'altra nella manina sporca: — Una l'ho mangiata. Tenevo fame.

Prima che la zia si muovesse di nuovo, per buttarsi addosso alla bambina, si sentì la voce della marchesa, dal terzo piano, dove c'era il sole, chiamare piano, placidamente, soavemente:

— Nunziata!

Zi' Nunzia levò in alto il viso amareggiato, come quello della Madonna dei Sette Dolori, che stava a capo del letto suo.

— Oggi è il primo venerdì di mese. Offritelo a Dio.

— Marchesa, quanto siete buona! Queste creature mi fanno fare tanti peccati, io mi sto perdendo l'anima, io... — E crollava il viso tra le mani come zampe, mani di faticatore, con la pelle marrone, squamata.

— Vostro fratello non ci sta?

— Povera zia, essa ti fa pure gli occhiali, e tu così la ringrazi... — diceva intanto Mariuccia a Eugenia che tremava.

— Sissignora, eccomi qua... — rispose don Peppino, che fino a quel momento era stato mezzo nascosto dietro la porta del *basso*, agitando un cartone davanti al fornello dove cuocevano i fagioli per il pranzo.

— Potete salire?

— Mia moglie è andata a ritirare gli occhiali di Eugenia... io sto badando ai fagioli... vorrebbe aspettare, se non vi dispiace...

— Allora, mandatemi su la creatura. Tengo un vestito per Nunziata. Glielo voglio dare...

— Dio ve ne renda merito... obbligatissimo, — rispose don Peppino con un sospiro di consolazione, perché era quella l'unica cosa che poteva calmare sua sorella. Ma, guardando Nunziata, si accorse che essa non si era affatto rallegrata. Continuava a piangere dirottamente, e quel pianto aveva tanto stupito Pasqualino, che il bambino si era chetato per incanto, e ora si leccava il catarro che gli scendeva dal naso, con un piccolo, dolce sorriso.

— Hai sentito? Sali su dalla signora marchesa, ti deve dare un vestito... — disse don Peppino alla figlia.

Eugenia stava guardando qualche cosa nel vuoto, con gli occhi che non ci vedevano: erano fissi fissi, e grandi. Trasalì e si alzò subito, obbediente.

— Dille: « Dio ve ne renda merito », e rimani fuori la porta.

— Sì, papà.

— Mi dovete credere, Mariuccia, — disse zi' Nunzia, quando Eugenia si fu allontanata, — io a quella creatura le voglio bene, e dopo mi pento, quanto è vero Dio, di averla strapazzata. Ma mi sento tutto il sangue alla testa, mi dovete credere, quando devo combattere con i ragazzi. La gioventù se n'è andata, lo vedete... — e si toccava le guance infossate. — A volte, mi sento come una pazza...

— D'altra parte, pure loro debbono sfogare, — rispose donna Mariuccia, — sono anime innocenti. Avranno tempo per piangere. Io, quando li vedo, e penso che devono diventare tale e quale a noi... — andò a prendere una scopa e spinse via una foglia di cavolo dalla soglia, — mi domando che cosa fa Dio.

— Ve lo siete tolto nuovo nuovo! — disse Eugenia piantando il naso sul vestito verde steso sul sofà in cucina, mentre la marchesa andava cercando un giornale vecchio per involtarlo.

La D'Avanzo pensò che la bambina non ci vedeva davvero, perché se no si sarebbe accorta che il vestito era vecchissimo e pieno di rammendi (era di sua sorella morta), ma si astenne dal far commenti. Solo dopo un momento, mentre veniva avanti col giornale, domandò:

— E gli occhiali te li ha fatti la zia? Sono nuovi?

— Col filo dorato. Costano ottomila lire, — rispose d'un fiato Eugenia, commuovendosi ancora una volta al pensiero del privilegio che le toccava, — perché sono quasi cecata, — aggiunse semplicemente.

— Secondo me, — fece la marchesa, involtando con dolcezza il vestito nel giornale, e poi riaprendo il pacco perché una manica veniva fuori, — tua zia se le poteva risparmiare. Ho visto degli occhiali ottimi, in un negozio all'Ascensione, per sole duemila lire.

Eugenia si fece di fuoco. Capì che la marchesa era dispiaciuta. — Ognuno nel suo rango... tutti ci dobbiamo limitare... — l'aveva sentita dire tante volte, parlando con donna Rosa che le portava i panni lavati, e si fermava a lamentarsi della penuria.

— Forse non erano buoni... io tengo nove diottrìe... — ribatté timidamente.

La marchesa inarcò un ciglio, ma Eugenia per fortuna non lo vide.

— Erano buoni, ti dico... — si ostinò con la voce leggermente più dura la D'Avanzo. Poi si pentì. — Figlia mia, — disse più dolcemente, — parlo così perché so i guai di casa tua. Con seimila lire di differenza, ci compravate il pane per dieci giorni, ci compravate... A te, che ti serve veder bene? Per quello che tieni intorno!... — Un silenzio. — A leggere, leggevi?

— Nossignora.

— Qualche volta, invece, ti ho vista col naso sul libro. Anche bugiarda, figlia mia... non sta bene...

Eugenia non rispose più. Provava una vera disperazione, fissava gli occhi quasi bianchi sul vestito.

— È seta? — domandò stupidamente.

La marchesa la guardava, riflettendo.

— Non te lo meriti, ma ti voglio fare un regaluccio, — disse a un tratto, e si avviò verso un armadio di legno bianco. In quel momento il campanello del telefono, ch'era nel corridoio, cominciò a squillare, e invece d'aprire l'armadio la D'Avanzo uscì per rispondere all'apparecchio. Eugenia, oppressa da quelle parole, non aveva neppure sentito la consolante allusione della vecchia, e appena fu sola, si mise a guardare intorno come le consentivano i suoi poveri occhi. Quante cose belle, fini! Come nel negozio di Via Roma! E lì, proprio davanti a lei, un balcone aperto, con tanti vasetti di fiori.

Uscì sul balcone. Quant'aria, quanto azzurro! Le case, come coperte da un velo celeste, e giù il vicolo, come un pozzo, con tante formiche che andavano e venivano... come i suoi parenti... Che facevano? Dove andavano? Uscivano e rientravano nei buchi, portando grosse briciole di pane, questo facevano, avevano fatto ieri, avrebbero fatto domani, sempre... sempre. Tanti buchi, tante formiche. E intorno, quasi invisibile nella gran luce, il mondo fatto da Dio, col vento, il sole, e laggiù il mare pulito, grande... Stava lì, col mento inchiodato sui ferri, improvvisamente pensierosa, con un'espressione di dolore che la imbruttiva, di smarrimento. Suonò la voce della marchesa, placida, pia. Teneva in mano, nella sua liscia mano d'avorio, un librettino foderato in cartone nero, con le lettere dorate.

— Sono pensieri di santi, figlia mia. La gioventù, oggi, non legge niente, e per questo il mondo ha cambiato strada. Tieni, te lo regalo. Ma mi devi promettere di leggerne un poco ogni sera, ora che ti sei fatti gli occhiali.

— Sissignora, — disse Eugenia frettolosamente, arrossendo di nuovo perché la marchesa l'aveva trovata sul balcone; e prese il libretto che essa le dava. La D'Avanzo la guardò compiaciuta.

— Iddio ti ha voluto preservare, figlia mia! — disse andando a prendere il pacchetto col vestito e mettendoglielo tra le mani. — Non sei bella, tutt'altro, e sembri già una vecchia. Iddio ti ha voluto prediligere, perché così non avrai occasioni di male. Ti vuole santa, come le tue sorelle!

Senza che queste parole la ferissero veramente, perché da tempo era già come inconsciamente preparata a una vita priva di gioia, Eugenia ne provò lo stesso un turbamento. E le parve, sia pure un attimo, che il sole non brillasse più come prima, e anche il pensiero degli occhiali cessò di rallegrarla. Guardava vagamente, coi suoi occhi quasi spenti, un punto del mare, dove si stendeva come una lucertola, di un colore verde smorto, la terra di Posillipo. — Di' a papà, — proseguiva intanto la marchesa, — che pel materasso del bambino oggi non se ne fa niente. Mi ha telefonato mia cugina, starò a Posillipo tutto il giorno.

— Io pure, una volta, ci sono stata... — cominciava Eugenia, rianimandosi a quel nome e guardando, incantata, da quella parte.

— Sì? veramente? — La D'Avanzo era indifferente, per lei quel nome non significava nulla. Con tutta la maestà della sua persona, accompagnò la bambina, che ancora si voltava verso quel punto luminoso, alla porta che chiuse adagio alle sue spalle.

Fu mentre scendeva l'ultimo gradino, e usciva nel cortile, che quell'ombra che le aveva oscurato la fronte da qualche momento scomparve, e la sua bocca s'aperse a un riso di gioia, perché Eugenia aveva visto arrivare sua madre. Non era difficile riconoscere la sua logora, familiare figura. Gettò il vestito su una sedia, e le corse incontro.

— Mammà! Gli occhiali!

— Piano, figlia mia, mi buttavi a terra!

Subito, si fece una piccola folla intorno. Donna Mariuccia, don Peppino, una delle Greborio, che si era fermata a riposarsi su una sedia prima di cominciare le scale, la serva di Amodio che rientrava in quel momento, e, inutile dirlo, Pasqualino e Teresella, che volevano vedere anche loro, e strillavano allungando le mani. Nunziata, dal canto suo, stava osservando il vestito che aveva tolto dal giornale, con un viso deluso.

— Guardate, Mariuccia, mi sembra roba vecchia assai... è tutto consumato sotto le braccia! — disse accostandosi al gruppo. Ma chi le badava? In quel momento, donna Rosa si toglieva dal collo del vestito l'astuccio degli occhiali, e con cura infinita lo apriva. Una specie d'insetto lucentissimo, con due occhi grandi grandi e due antenne ricurve, scintillò in un raggio smorto di sole, nella mano lunga e rossa di donna Rosa, in mezzo a quella povera gente ammirata.

— Ottomila lire... una cosa così! — fece donna Rosa guardando religiosamente, eppure con una specie di rimprovero, gli occhiali.

Poi, in silenzio, li posò sul viso di Eugenia, che estatica tendeva le mani, e le sistemò con cura quelle due antenne dietro le orecchie. — Mo ci vedi? — domandò accorata.

Eugenia, reggendoli con le mani, come per paura che glieli portassero via, con gli occhi mezzo chiusi e la bocca semiaperta in un sorriso rapito, fece due passi indietro, così che andò a intoppare in una sedia.

— Auguri! — disse la serva di Amodio.

— Auguri! — disse la Greborio.

— Sembra una maestra, non è vero? — osservò compiaciuto don Peppino.

— Neppure ringrazia! — fece zi' Nunzia, guardando amareggiata il vestito. — Con tutto questo, auguri!

— Tiene paura, figlia mia! — mormorò donna Rosa, avviandosi verso la porta del *basso* per posare la roba. — Si è messi gli occhiali per la prima volta! — disse alzando la testa al balcone del primo piano, dove si era affacciata l'altra sorella Greborio.

— Vedo tutto piccolo piccolo, — disse con una voce strana, come se venisse di sotto una sedia, Eugenia. — Nero nero.

— Si capisce; la lente è doppia. Ma vedi bene? — chiese don Peppino. — Questo è l'importante. Si è messi gli occhiali per la prima volta, — disse anche lui, rivolto al cavaliere Amodio che passava con un giornale aperto in mano.

— Vi avverto, — disse il cavaliere a Mariuccia, dopo aver fissato per un momento, come fosse stata solo un gatto, Eugenia, — che la scala non è stata spazzata... Ho trovato delle spine di pesce davanti alla porta! — E si allontanò curvo, quasi chiuso nel suo giornale, dove c'era notizia di un progetto-legge per le pensioni, che lo interessava.

Eugenia, sempre tenendosi gli occhiali con le mani, andò fino al portone, per guardare fuori, nel vicolo della Cupa. Le gambe le tremavano, le girava la testa, e non provava più nessuna gioia. Con le labbra bianche voleva sorridere, ma quel sorriso si mutava in una smorfia ebete. Improvvisamente i balconi cominciarono a diventare tanti, duemila, centomila; i carretti con la verdura le precipitavano addosso; le voci che riempivano l'aria, i richiami, le frustate, le colpivano la testa come se fosse malata; si volse barcollando verso il cortile, e quella terribile impressione aumentò. Come un imbuto viscido il cortile, con la punta verso il cielo e i muri lebbrosi fitti di miserabili balconi; gli archi dei terranei, neri, coi lumi brillanti a cerchio intorno all'Addolorata; il selciato bianco di acqua saponata, le foglie di cavolo, i pezzi di carta, i rifiuti, e, in mezzo al cortile, quel gruppo di cristiani cenciosi e deformi, coi visi butterati dalla miseria e dalla rassegnazione, che la guardavano amorosamente. Cominciarono a torcersi, a confondersi, a ingigantire. Le venivano tutti addosso, gridando, nei due cerchietti stregati degli occhiali. Fu Mariuccia per prima ad accorgersi che la bambina stava male, e a strapparle in fretta gli occhiali, perché Eugenia si era piegata in due e, lamentandosi, vomitava.

— Le hanno toccato lo stomaco! — gridava Mariuccia reggendole la fronte. — Portate un acino di caffè, Nunziata!

— Ottomila lire, vive vive! — gridava con gli occhi fuor della testa zi' Nunzia, correndo nel *basso* a pescare un chicco di caffè in un barattolo sulla credenza; e levava in alto gli occhiali nuovi, come per chiedere una spiegazione a Dio. — E ora sono anche sbagliati!

— Fa sempre così, la prima volta, — diceva tranquillamente la serva di Amodio a donna Rosa. — Non vi dovete impressionare; poi a poco a poco si abitua.

— È niente, figlia, è niente, non ti spaventare! — Ma donna Rosa si sentiva il cuore stretto al pensiero di quanto erano sfortunati.

Tornò zi' Nunzia col caffè, gridando ancora: — Ottomila lire, vive vive! — intanto che Eugenia, pallida come una morta, si sforzava inutilmente di rovesciare, perché non aveva più niente. I suoi occhi sporgenti erano quasi torti dalla sofferenza, e il suo viso di vecchia inondato di lacrime, come istupidito. Si appoggiava a sua madre e tremava.

— Mammà, dove stiamo?

— Nel cortile stiamo, figlia mia, — disse donna Rosa pazientemente; e il sorriso finissimo, tra compassionevole e meravigliato, che illuminò i suoi occhi, improvvisamente rischiarò le facce di tutta quella povera gente.

— È mezza cecata!

— È mezza scema, è!

— Lasciatela stare, povera creatura, è meravigliata, — fece donna Mariuccia, e il suo viso era torvo di compassione, mentre rientrava nel *basso* che le pareva più scuro del solito.

Solo zi' Nunzia si torceva le mani:

— Ottomila lire, vive vive!

Interno familiare

Anastasia Finizio, la figlia maggiore di Angelina Finizio e del fu Ernesto, ch'era stato uno dei primi parrucchieri di Chiaia, e solo da qualche anno si era ritirato in un recinto soleggiato e tranquillo del cimitero di Poggioreale, era rientrata da poco dalla Messa grande (era il giorno di Natale) in Santa Maria degli Angeli, a Monte di Dio, e ancora non si decideva a togliersi il cappello. Alta e magra come tutti i Finizio, con la stessa eleganza meticolosa e brillante, in contrasto con lo squallore e non so che decrepitezza delle loro figure cavalline, andava avanti e indietro per la camera da letto che divideva con sua sorella Anna, non riuscendo a contenere una visibile agitazione. Solo pochi minuti prima tutto era indifferenza e pace, freddezza e rassegnazione nel suo animo di donna giunta alla soglia dei quarant'anni, dopo aver perduto, quasi senza accorgersene, ogni speranza di un bene personale, ed essersi adattata piuttosto facilmente a una vita da uomo, tutta responsabilità, contabilità, lavoro. Aveva un negozio di maglieria là dove suo padre aveva pettinato le più esigenti testine di Napoli, e con quello portava avanti la casa: madre, zia, una sorella, due fratelli, uno dei quali stava per ammogliarsi;

e, salvo il piacere di vestirsi come una donna di grande città, non conosceva e non desiderava altro. Ed ecco, in un momento non era più lei. Non che stesse male, affatto, ma provava una felicità che non era proprio felicità, quanto un rifluire dell'immaginazione che credeva morta, uno smarrimento. Il fatto di essersi conquistata un'ottima posizione, di vestire bene, e le molte soddisfazioni morali che le venivano dal mantenere tutta quella gente, eccole sparite, o quasi, come un turbine, di fronte alla speranza di ritornare giovane e donna. Nel suo cervello, in quel momento, c'era un vero scompiglio, e pareva che un'intera folla vociasse e si lamentasse implorando pietà, di fronte a qualcuno ch'era venuto ad annunciare in modo ambiguo qualcosa di straordinario. Ancora intontita da tutti quei gridi dell'organo, da quel furore di canti, abbagliata da quei rossi e quei bianchi scintillanti d'oro e d'argento dei paramenti sacri, dal tremolìo dei lumi; con la testa pesante per l'odore intenso dei gigli e delle rose, misto a quello funebre dell'incenso, mentre con le braccia, appena sulla soglia, cercava l'aria modesta di tutti i giorni, il sole, aveva incontrato Lina Stassano, sorella della sua futura cognata, e saputo così ch'era tornato a Napoli, dopo anni di assenza, certo Antonio Laurano, un giovane al quale lei aveva pensato. « Di salute non sta male, ma dice ch'è stanco di navigare, e vuole trovare un impiego a Napoli. Se vedi Anastasia Finizio, mi ha detto, falle un saluto particolare ». Tutto qui; poteva essere molto, e nulla, ma Anastasia, ch'era stata sempre così fredda e prudente, questa volta, come se qualcosa si fosse guastato nel suo rigido meccanismo mentale — il vecchio controllo, tutte le difese di una razza costretta a rinunzie sempre più grandi, ché guai se non le avesse accettate — si lasciava andare come incantata alle divagazioni di un sentimento oscuro quanto straordinario.

« Ah, Madonna! » andava dicendo nella sua mente, senza rendersi conto lei stessa di quel misterioso parlare,

« se fosse vero! Se Lina Stassano non si fosse sbagliata... se questo davvero fosse il sentimento di Antonio per me! Ma perché non potrebbe essere? Che c'è di strano? Di aspetto non sono male... e neppure posso dirmi vecchia, sebbene i vent'anni siano passati. Illusioni non me ne faccio; guardo la realtà, guardo. Sono indipendente... ho una posizione... denaro... Lui è stanco di navigare... forse deluso... vuole sistemarsi a Napoli. Potrei aiutarlo... Forse ha bisogno di sicurezza, di affetto... non cerca più la ragazza, ma la donna. E io, d'altra parte, che vita faccio? Casa e negozio, negozio e casa. Non sono come mia sorella Anna, che porta ancora i capelli sciolti, e suona il pianoforte. Di me, ora, i giovani non si accorgono più, e se non vestissi bene e non usassi un profumo di costo, neppure buongiorno mi direbbero. Se non sono ancora vecchia, però sto per invecchiare. Non me ne accorgevo, ma è così. O Antonio ha davvero un sentimento per me, mi ama e ha bisogno di me, oppure eccomi perduta. Avrò sempre i miei vestiti, si capisce, ma anche le statue in chiesa sono vestite, ed è vestita la gente nelle fotografie.. ».

Lei, mai aveva parlato così, nel suo linguaggio c'erano entrate e uscite, o, al più, interessanti osservazioni sulla moda di quest'anno. Perciò, meravigliata e abbattuta, come chi scorge per la prima volta un paese misero e silenzioso, e gli dicono che lì ha vissuto, credendo di vedere palazzi e giardini dove non erano che ciottoli e ortiche, e considerando in un baleno che la sua vita altro non era stata che servitù e sonno, e ora stava per declinare, smise di passeggiare, guardandosi intorno con aria stupita.

La finestra di quella stanza, ch'era ampia e pulita, ma ammobiliata poveramente, con due lettini di ferro, un armadio e qualche sedia disposta qua e là sull'ammattonato rosso, e sui lettini e sull'armadio un ramoscello d'ulivo della Pasqua avanti — quella finestra era aperta, ed entrava di fuori una luce intensa, di un cupo turchino, e nello stesso tempo fredda, come se il cielo da cui proveniva fosse del tutto nuovo per questa terra, senza il vecchio intimo calore di una volta. Non si vedeva una nube, la più piccola macchia, ma neppure il sole, e quel poco di muri e di cornicioni che apparivano a livello del davanzale — scoloriti, aerei come un disegno — sembravano la bava di un mondo, più che la sua realtà. Degli abitanti di Napoli non si avvertiva, in quel momento, una voce, un grido, e Anastasia, in piedi vicino ai vetri, la fronte lievemente aggrottata, il cuore pesante non sapeva più se di speranza o d'angoscia, guardava giù, non riconoscendo quasi i luoghi e le persone. Le pareva che quella strada in salita, tre piani sotto di lei, avesse una profondità e una tristezza misteriose. Il selciato, ancora scuro per la pioggia notturna, era sparso di tutti i trucioli e i rifiuti della Vigilia. Molta gente andava o tornava dalla Messa, e, incrociandosi, si fermava un momento a scambiare gli auguri, un saluto, ma bisognava fare attenzione se si volevano distinguere le voci (« Buon Natale! Auguri a voi e a tutta la famiglia! Altrettanto! »). Per quanto l'occhio riusciva a vedere, molte finestre, data la bellezza della giornata, erano spalancate, e si vedeva qua e là una testata di ferro nera ed esile, la coperta bianca di un letto, l'ovale dorato di un quadro nero, un ramo scintillante di lampadario e il parato marrone, a colonnine dorate, di un salotto. Nelle cucine si lavorava attivamente, ma gli uomini erano tutti in libertà, chi a farsi la barba, chi buttato, inerte, al davanzale di una finestra, chi affacciato tra i vasi rossi di un balcone. Qualcuno, sigaretta in mano, il viso butterato dalle passioni e dalla noia dei giovani napoletani, spiava con indifferenza o malinconia l'eccessiva profondità del cielo. Si poteva sentire, a farci caso, « cchiù bello 'e te », « 'o sole mio », ma persisteva nelle abitazioni come nelle strade un silenzio non lieto, quasi che la festa cristiana stesa temporaneamente sul formicolìo dei vicoli, non fosse tanto una festa, quanto la bandiera di un esercito sconosciuto levata al centro di un villaggio devastato e bruciato. Tutto vestito a festa, affacciato a un balcone attiguo alla finestra dei Finizio, un ragazzo sui tredici anni, mani in tasca, il viso giallognolo e serio dei malati gravi, fantasticava e sputava. Passava un cane, in fretta, di tanto in tanto.

« Questa vita sarebbe stata un sogno », continuava a pensare Anastasia, cercando d'irrigidirsi, di superare quel vago spavento, quella debolezza e confusione dei suoi pensieri attraversati da una luce così insolita e crudele, « come un viottolo che sembra morire in un campo sterrato, e invece, a un tratto, si apre in una piazza piena di gente, con la musica che suona. Improvvisamente, ecco, andrei ad abitare in una casetta mia. Non andrei più al negozio. Già, quella vita non mi è mai piaciuta, sentivo che un giorno doveva finire. Una liquidazione soddisfacente non me la toglie nessuno. Due milioni posso chiedere, anche più, per un buco a Chiaia. Con due milioni, la casa è fatta. Potrei prenderla qui vicino, così tutti i giorni vengo a trovare mammà. Tre stanze e una terrazza, con la vista di San Martino ». Si vide trafficare in quegli ambienti, una mattina d'estate, stendere dei panni, e cantare. Ma benché rimanesse ferma davanti a questa immagine, essa non le dava alcuna allegrezza. Era come assistere alla felicità di un'altra. Pensò ancora alle sere d'estate, quando avrebbero mangiato in terrazza, al lume di una lampadina elettrica nascosta nella pèrgola, che avrebbe illuminato sulla tavola le sue mani dure di lavoratrice, e fatto luccicare nell'oscurità i bei denti di Antonio. Ed ecco, pensando a quei denti, vide meravigliata che tutta la sua esaltazione veniva di là, da quella bocca più giovane della sua, anzi giovane, da quella salute e giovinezza che lei non aveva mai posseduto. E come erano passati tanti anni, — venti, trenta, — senza sapere questo, senza volerlo e sospettarlo neanche? E come — adesso — lo desiderava?

Calcolò rapidamente quanti anni egli avesse, trenta-due, e paragonatili ai suoi, disse forte: — Impossibile.

Guardava sempre giù, ma la sua faccia era un'altra: la fronte raggrinzita nello sforzo di dominarsi, le palpebre troppo rosee abbassate, col moto meccanico di una bambola, sugli occhi turbati dalla mortificazione. Tutto quanto c'era di sgradevole in lei, veniva alla superfice, come la schiuma del mare, davanti a quella certezza. Impossibile, impossibile! E le labbra si stringevano, le guance di un rosa color arancio s'incavavano, facendo apparire più grande e squallida la fronte, e pretenziose le arcate degli occhi. Terribilmente infelice, la figlia maggiore dei Finizio non aveva nessuna espressione, e i suoi momenti più tristi erano anche quelli perfettamente banali. C'era della stupidità, nella sua mente, ecco tutto, benché qualche volta se ne accorgesse, una sonnolenza, come l'effetto di uno sforzo sostenuto molti secoli indietro. Non poteva pensare, vivere. Qualche cosa era vivo in lei, e neppure poteva dirlo. Questa era la sua bontà, la sua forza, questa incapacità d'intendere e di volere una vita sua. Soltanto ricordare poteva, di quando in quando, vedere, e poi subito quel lume, quel paesaggio era spento. Ricordava Antonio come fosse ieri: non alto, ma solido come una colonnetta, coi capelli castani e la pelle scura, e quei suoi occhi tristi, di uomo, e la bocca dai fitti denti, bianca nel sorriso; e quei suoi modi affettuosi, quasi venati di pietà che aveva con tutti, come tornasse sempre da lontano: « Come state, Anastasia? » « Che volete, la vita è uguale... » « È vero, ma potrebbe essere più bella ». (E chissà che cosa alludeva con quel « più bella »). « Venite a trovarci, qualche volta, ché ne avremo piacere ». Ecco tutto quel che sapeva dirgli, lei, quando s'incontravano, e con un'aria così stupida, altera. Come se fosse felice, come se le bastasse il suo lavoro, e la soddisfazione di mantenere tutta la famiglia da quando era mancato il padre, e la potessero consolare tutti quegli abiti che si faceva. Invece, non era vero. Mille volte avrebbe voluto buttar via tutte queste soddisfazioni, e andare a fare la serva in casa di lui, e servirlo, servirlo sempre, come una vera donna serve un uomo.

Grandi colpi di campana vennero da due o tre chiese insieme, e a quel suono terribile e familiare, che parlava di cielo e non di vita, Anastasia si ridestò. Gli occhi le si riempirono di lacrime, e staccatasi dalla finestra riprese a passeggiare su e giù per la stanza, mentre si ripeteva meccanicamente, con la sua aria assorta: « Come una vera donna, serve un uomo... Sì, nient'altro ».

— Anastasia! Anastasia!

— Dov'è Anastasia?

Questi erano Anna e Petrillo. La sua unica sorella, bianca in viso a diciotto anni, con la bellezza delle rose ordinarie, grandi occhi sporgenti e dolci, pieni in quel momento di un vivo sorriso, e Petrillo, con la sua aria di scarafaggio studioso, gli occhiali piantati in mezzo al piccolo viso verde, si precipitarono nella stanza dove Anastasia Finizio si agitava immersa in quei nuovi pensieri. Veramente, chi si precipitò fu Anna, col vestito bianco che le si allargava, nella corsa, intorno ai fianchi stretti, una mano, quasi per vezzo, vicino ai capelli biondi fermati da un nastro azzurrino. Petrillo, in abito da uomo malgrado i suoi sedici anni, veniva dietro di pochi passi, reggendosi gli occhiali, perché un vetro era rotto e il minimo movimento poteva farlo cadere.

— Hai visto chi è arrivato?

— No, — rispose Anastasia, ritornando alla finestra e fingendo di guardare fuori. Si sfilava i guanti, se li rinfilava, col cuore per aria, e tutto il suo vecchio sangue alla fronte, immaginando di sentire, fra un momento, quel nome. Mai si era vergognata tanto. Ma si sbagliava.

— Don Liberato, il fratello di donn'Amelia, da Salerno. Ha mandato a dire che dopo pranzo viene a trovarci.

— Sì? — disse Anastasia, sentendo con sollievo che il cuore calmava i suoi battiti, e la fronte si raffreddava. Nello stesso tempo fu come se quell'ombra, quella tristezza che in tutto il suo straordinario fantasticare era spuntata continuamente ad oscurare i colori, avesse preso corpo, e si fosse seduta, come una mendicante, sulla sedia nell'angolo della stanza. La sua eccitazione cadde di colpo, e poté guardare i fratelli.

— Perché? Donn'Amelia non viene? — chiese tranquillamente.

— Tutta notte è stata male, — rispose Anna andando a specchiarsi nel vetro della finestra, con un'indolenza che non era soltanto la mollezza meridionale, ma anche il languore di un sangue scarso di vita, — e il medico è venuto anche questa mattina. Non hai sentito?

— Anastasia, fuori dei denari non sente niente, — disse maliziosamente Petrillo, e si aspettava una risposta irritata, ma sua sorella non disse nulla.

— Dice mammà, — continuò Anna indolentemente, — se vuoi togliere dalla cassa i bicchierini verdi col filo d'orato. A pranzo vengono Dora Stassano e Giovannino.

Questo Giovannino era il fidanzato di Anna, un commesso di libreria, piccolo, coi baffi rossi, e benché Anastasia non lo considerasse molto, il suo cuore ebbe una stretta pensando come sua sorella, di vent'anni più giovane di lei, poteva parlare semplicemente di tutto quanto era per lei motivo di confusione e tormento. Anche il pensiero di doversi piegare, così ben vestita, sul baule in camera della madre, per toglierne, tra la polvere, quei bicchieri che la signora Finizio aveva così cari, tanto da adoperarli solo nelle occasioni, le aumentò quel freddo interiore. Anna non faceva che suonare il pianoforte e passeggiare, per Anna non esistevano doveri... noie... Bella vita quella di Anna.

— Petrillo, esci un momento fuori, — disse con voce opaca.

— Io mi son fatta ora le unghie, — disse Anna timidamente. — Scusa.

Neppure questa volta Anastasia rispose nulla. Mentre il ragazzo usciva fischiettando, con l'aria di superiorità che aveva acquistato da alcuni mesi, da quando aveva cominciato a scambiare qualche parola impegnativa con una ragazza, Anastasia si sfilò il mantello di lana blu, che aveva visto tutta quella sua grande gioia, e poi quelle perplessità, quel dolore, e lo distese sul letto. Con la medesima cura, levandone prima le spille, si tolse dal capo il cappello blu. Aperse la borsa anche blu, ne prese un fazzoletto profumato, bianchissimo, e lo tenne un attimo sotto le narici. Infine sedete sul letto, sfilandosi, senza toccarle con le mani, le scarpe, che spinse in disparte. Nel fare tutte queste cose, perdeva tempo, c'era una specie di silenzio in lei, e anche un'apprensione oscura. Svanito del tutto, lontano, quel momento commosso di poco prima, sentiva che la sorella giovanetta la guardava, anzi la osservava, con quei suoi occhi grandi e belli, appena stupiti, dei giovani destinati a morire precocemente (aveva un polmone toccato, Anna), e gliene veniva una sensazione sottilissima di vergogna, di colpa, come se fosse già vecchia, e tutte quelle stoffe, ciprie e profumi che metteva addosso alla sua persona, costituissero un furto, un peccato, qualcosa che veniva sottratto alla naturale esigenza dei fratelli, di Anna. Le pareva mill'anni che la sorella uscisse dalla stanza, smettesse di guardarla.

— Mammà dice pure se vai un momento in cucina a darle una mano. Io devo ripassare le canzoni.

— Sì, ora vengo, — rispose pianamente Anastasia. — Mi riposo un momento, e vengo.

Ma già la sorella non le badava più. Vicino alla finestra aperta, si specchiava nel vetro, dove si vedevano anche delle terrazze, facendo ondulare leggermente la

graziosa testa bionda, si aggiustava il nastro azzurro, e
canticchiava:

Tutto è passato!

con la sua voce indifferente, mite.

Per andare in cucina, Anastasia dovette uscire in un
corridoio largo e spoglio, sul quale davano tutte le quattro stanze della casa, illuminato in fondo, dove finiva,
da una finestra su un giardino. Adesso, quella finestra
era spalancata, e il telaio, malamente verniciato di bianco, inquadrava un cielo di un azzurro cupo, così liscio e
splendente da sembrare falso. C'era una bellezza enorme
nell'aria, quella mattina, e al confronto le case e la vita
degli uomini si rivelavano stranamente misere, logore.
Un vero mostriciattolo, poi, sembrò agli occhi turbati
di Anastasia la zia Nana, ch'era curva a lavare il pavimento. Questa donna, sorella maggiore della madre,
dopo una gioventù inerte e piena di cose futili, in attesa
continua di marito, poco alla volta, come succedeva tra
le donne della piccola borghesia, aveva dovuto rassegnarsi a una vita servile e silenziosa in casa della sorella
maritata. E cresci questo bambino, e cresci quell'altro,
per occupazioni e pensieri personali non c'era stato più
tempo. Con gli anni era diventata quasi del tutto sorda,
così da non afferrare più quei rimbrotti e quelle risate
che si facevano di tanto in tanto a suo riguardo. La sua
passione erano i giornali, che la sera leggeva avidamente,
soffermandosi soprattutto sulle cronache passionali, sugli
avvenimenti amorosi di maggior rilievo: suicidi e omicidi
per amore, ferimenti, ratti, quando non erano, come pre-
feriva, fidanzamenti di personalità illustri, nozze di prin-
cipi, di regnanti, e insomma il lusso e la bellezza del
mondo, confusi con la felicità della carne. Allora, si illuminava tutta in quel suo volto gonfio e contraffatto, di
un giallo marcio, che faceva apparire ancora più neri

e splendenti quei suoi terribili occhi di donna che non è riuscita a vivere, e lo potrebbe ancora, e la si sentiva ridacchiare tutta sola: « La gioventù, eh, la gioventù, che allegria! » Di statura era stata sempre bassa, ma ora sembrava più che bassa, raccorciata e contorta, come certi alberi antichissimi nel cuore di qualche foresta. Vestiva sempre di nero, e la domenica e i giorni festivi si metteva un po' di rossetto al centro delle guance. A vederla, Anastasia si sentì aumentare quella tristezza troppo confusa per essere definita, quel disgusto e insieme quella pietà di sé e della vita che viveva, quella sorda ansia di un giorno più dolce, che le aveva parlato all'orecchio, e disse:

— Proprio questa mattina dovevate fare questo traffico, zia Nana? Non sentite che freddo?

— Bello, bello, — rispose la Nana alzando umilmente, e tutta eccitata, gli occhi alla finestra. Aveva capito « bel tempo ». — Bellissima giornata, — disse, — proprio fatta per la gioventù —. E abbassò di nuovo la faccia sul pavimento. Un tempo, avrebbe invidiato Anastasia per la sua statura e i suoi bei vestiti. Era piena di stizza e meschinità, da giovane. Ma la vita, confinandola nei più bassi posti, aveva avuto ragione di quei difetti, e adesso non c'era persona più umile della Nana, e disposta a saziarsi della felicità altrui. Per Anastasia, poi, provava una vera adorazione. Era infine Anastasia, col suo lavoro, che la manteneva, e chissà dove sarebbe finita lei, povera Nana, se Dio non avesse benedetto il lavoro di Anastasia.

Nella sua stanza, squallida e fredda come quella della sorella, e così sommariamente ammobiliata, Eduardo, il fratello maggiore, si stava facendo la barba davanti a uno specchietto attaccato alla finestra. Alto come Anastasia, e orribilmente magro, aveva il petto incavato come la luna, di tutti quelli della sua razza. Ma adesso era guarito, benché qualcosa, di nascosto, la sputasse ancora, e anzi stava pure per sposarsi, senza contare che gli avevano promesso un posto di avventizio al Municipio. Si raccomandò con voce stridula, avendo visto la sorella passare nello specchio:

— Anastasia, le mie camicie!

— Sono già stirate! — rispose Anastasia, — vicino alle calze.

E stava per tirare avanti, quando si accorse, come la vedesse la prima volta, della sua schiena così lunga, di quella figura appiattita e senza vigore, e le venne in mente qualche ragno mezzo essiccato, che dondolava talora da una ragnatela, e pareva, al vento, si movesse, e poi si capiva ch'era solo una larva. Così, Eduardo viveva solo in apparenza una vita da uomo. Eccolo, a vederlo farsi la barba e chiedere con voce stridula le sue camicie, era un uomo... Cadendole lo sguardo sui due letti, quello di Eduardo e l'altro di Petrillo, si ricordò che fra due mesi sarebbero stati sostituiti da un unico letto grande. Le spese del mobilio erano di Dora Stassano, che lavorava da sarta guadagnando abbastanza bene, ma anche Anastasia vi avrebbe contribuito, e i figli che sarebbero venuti, con la schiena lunga e la faccia da piccoli cavalli vecchi, Dora Stassano e lei avrebbero dovuto mantenerli. Anna, invece, non faceva un matrimonio così buono, perché Giovannino Bocca, il commesso, avrebbe guadagnato sempre poco, ma la madre, vista la salute delicata di lei, e temendo la morte non la portasse via prima che potesse godersi qualcosa, aveva tenuto ad accontentarla: e i piccoli figli dalla faccia bianca come una rosa d'inverno e gli occhi un po' sporgenti e stupiti, solo Anastasia, aiutata da quel commesso, avrebbe dovuto portarli avanti. Ma su questo particolare non si fermò: come un cavallo da tiro ha la sensazione che il suo carico cresce di minuto in minuto, e le zampe gli si piegano, ma gli occhi miti non riescono a guardare indietro, così lei non vedeva da quale parte fluisse questa enorme e inutile vita su lei, e solo sapeva questo: che doveva portarla. Pensò un momento come saranno diverse, a primavera, le stanze di questa casa: qui Eduardo con Dora; nella camera delle sorelle, Anna col marito; lei, Anastasia, sarebbe passata a dormire con la madre, mentre Petrillo si sarebbe aggiustato un lettino nella stanza da pranzo. Una volta, quando il padre viveva, questi mutamenti nessuno li avrebbe previsti, non si pensava neppure che, sposandosi, Eduardo e Anna sarebbero rimasti in casa. Ricordò di colpo come le piaceva la sua stanza, quando era più giovane, e le chiacchiere interminabili con Anna, da un letto all'altro, le notti di estate, con la luna sui piedi, le risatine sommesse facendo questo o quel nome d'uomo. Inavvertitamente, ecco, quel brusìo era cessato.

Mentre passava davanti alla scatola nera del telefono interno, quello chiamò. — Pronto, — disse Anastasia.

— Qui ci sta la fidanzata di vostro fratello, — avvertì dal basso la voce della portinaia.

La fidanzata ufficiale, in quella casa (perché della ragazza di Petrillo ancora non si sapeva che tipo fosse), era Dora Stassano. Perciò Anastasia disse subito:

— Dora Stassano, buon Natale a te e a tutta la famiglia.

— Chi è? Doruccia? Dille di salire, — gridò Eduardo col pennello in mano, girando gli occhi spiritati.

— Dice Eduardo se vuoi salire, — riferì Anastasia. E dopo un momento: — Sì, ti aspettava. Stiamo tutti a casa. Anche Anna e Petrillo —. Lasciò il telefono: — Sta salendo, — disse rivolta verso la stanza di Eduardo.

In cucina, il fuoco era acceso in tutti e quattro i fornelli del focolare. Il carbone (il gas veniva adoperato solo per il caffè) non era bastato, e la signora Finizio aveva dovuto aggiungere della legna, che aveva riempito di un fumo acre il locale. Un raggio di sole, entrando dalla finestra aperta, faceva ondeggiare lievemente quella massa di velo grigio, in cui brillavano milioni di puntolini colorati. Con gli occhi rossi, mezzo chiusi tanto le bruciavano, la signora Finizio, una donnetta vispa, tutt'ossa, coi capelli rossi e un volto amoroso e astuto, si muoveva con agilità incredibile, dati i suoi cinquantotto anni, da un fornello all'altro. Vedendo Anastasia, gridò:

— Per favore, figlia mia, da' un'occhiata al brodo, mentre io finisco d'impastare.

Le sembrava, qualche volta, che Anastasia perdesse tempo in cose futili, ma non osava protestare apertamente, parendole che quella specie di sonno in cui la figlia era immersa, e che permetteva a tutti di vivere ed espandersi tranquillamente, da un momento all'altro, per un'inezia, si sarebbe potuto spezzare. Non aveva nessuna simpatia per Anastasia (il suo amore era Anna), ma ne apprezzava l'energia e la docilità insieme, quello spirito pratico unito a tanta rassegnata freddezza. Si stupiva sempre che la figlia fosse così rassegnata, ma certo rientrava nei disegni di Dio.

Anastasia andò a prendere un grembiule appeso tra le scope, dietro una porta, e se lo allacciò davanti. Ma invece di accostarsi al focolare, andò a lavarsi le mani all'acquaio, e disse:

— Guardate voi al brodo, mammà, ché a impastare ci penso io.

— Ti ringrazio, figlia mia, — disse la madre con un rapido sorriso; e per un momento rimase a guardarla, mentre immergeva le mani grandi in quel laghetto di acqua e farina, provando quel senso oscuro di compassione e di festa, di rimorso e allegria, che sempre la prendeva osservando la perfetta, inalterabile bruttezza di Anastasia, quei lineamenti rigidi e privi di qualsiasi espressione, come quelli di una forchetta. Andava comparando silenziosamente quella bruttezza col ricordo che aveva di sé ragazza, e con l'immagine stessa, così luminosa nella sua debolezza, di Anna, e sorrideva senza saperlo.

— Tua sorella niente vuol fare, — disse forte.

— Anna è giovane, mammà, — rispose Anastasia

senza levare il capo, quasi avvertisse quello sguardo. — Poi, non sta mai troppo bene.

— Questo è pure vero, — rispose la Finizio, commovendosi. E soggiunse, con una malinconia, uno slancio: — Tante volte mi dico: che sarà di quella figlia mia, il giorno che Anastasia vorrà sposarsi? Basteranno, a proteggerla, gli occhi del marito? Perché una volta o l'altra, quel giorno può venire.

— Voi scherzate, mammà, — rispose Anastasia con voce appena alterata. — Io non sono bella.

La Finizio sorrise ancora, e come Anastasia, guardandola, aveva interpretato male quel sorriso, non volle deluderla, e cambiò discorso.

— Dopo pranzo viene a trovarci Don Liberato, me lo ha fatto dire dalla serva. È arrivato da Salerno. Salute a noi, credo che donn'Amelia stia veramente male.

— Il Signore abbia misericordia di lei, — si limitò a dire Anastasia.

La Finizio non era mai tranquilla. Così come le braccia, il pensiero non le stava mai fermo, e aveva bisogno di smuovere e anche addentare ora questo argomento, ora quello. Perciò, dopo aver dato un'occhiata al brodo, si voltò e disse:

— Ho saputo poi dai Laurano che ieri sera è tornato il figlio da Genova. Non te lo volevo dire pensando che ne avresti male. Pare che sia pure fidanzato.

E rimase zitta a osservare il lungo volto della figlia, che nello sforzo di dominarsi si era fatto orribilmente duro e sgradevole. Un sorriso finissimo allungava ora le labbra della Finizio. Aveva finito presto d'essere giovane, lei, e non perdonava facilmente chi voleva sottrarsi alla legge che lei aveva subìto. La irritavano continuamente le intenzioni segrete, la mancanza di umiltà di Anastasia, quel vederla vivere così indipendente, quasi una signora, mentre lei conduceva una vita servile.

— Meglio così, non è vero? — insisté.

Anastasia non rispose nulla; andò alla credenza per

prendere della farina, e per qualche momento, pur desiderandolo, la Finizio non poté vederla in volto. Ma già sapeva che l'aveva colpita abbastanza.

— C'è permesso? Uh, che fumo! Buon Natale a tutti!

Dora Stassano, sulla soglia della cucina, mostrava il suo volto di popolana, magro e ardito, la pelle color oliva fatta più verde dal rosso della sciarpa. — Posso dare una mano?

— Sciò... sciò... — gridò comicamente la Finizio. Era un poco pentita di quanto aveva detto ad Anastasia, ma l'allegria rimaneva. — Fuori tutti. Mia figlia e io, quando lavoriamo, non vogliamo impicci.

Dietro la Stassano, una piccolina con un gran mantello verde bandiera, guarnito di un filo di pelliccia dorata, guanti e scarpe verdi, s'intravedeva la testa bionda e incantata di Anna, e il brutto volto sorridente di Eduardo.

— Mammà, ci fate vedere il dolce? — chiese Eduardo.

— Tu, spicciati, se non vuoi perdere l'ultima messa, — gli gridò la Finizio. — Questa mia famiglia si sta riempiendo di eretici, — disse rivolta alla Stassano. — Salvo Anastasia, che non manca mai ai suoi doveri di cristiana, e ogni mattina fa una capatina in chiesa prima di aprire il negozio, voglio sapere chi onora Dio in questa casa. Eccolo là, a trent'anni, ha bisogno che lo portino pel collo all'ultima messa. E i fratelli seguono l'esempio. Almeno tu, Dora Stassano, hai fatto il tuo dovere?

— Stanotte eravamo tutti in Santa Maria degli Angeli, se è per questo, — rispose la ragazza.

— Bene, bene! — Come la Nana, anche la Finizio stava diventando un poco sorda, e perciò diceva anche le cose più delicate a voce alta.

— La chiesa era piena che si asfissiava, — proseguì la Stassano, con l'accento compunto e malizioso di chi dice cose di cui, in sostanza, non gli importa, ma che altri ama credere. — Voi non vi ho vista, mammà, dovevate stare più avanti. Ho visto invece le Torri, poi donn'Amelia col fratello, e la cameriera dietro, e quando c'è stata l'Elevazione, donn'Amelia si è messa a piangere. Più avanti, c'erano i Laurano, al completo, col figlio.

Vi fu un breve silenzio a quella parola « figlio ».

Il pensiero che donn'Amelia, una sua buona vicina, fosse agli ultimi giorni (era gravemente ammalata di cuore), commoveva e insieme rallegrava la Finizio, che nella sua grama esistenza traeva dall'avvilimento degli altri un'oscura consolazione, e infatti esitò un momento se fermarsi su quell'argomento, oppure sul secondo. Ma il secondo era più importante. Non si sentiva ancora tranquilla circa i sentimenti di Anastasia.

— Così, Antonio è veramente tornato? — gridò. — Mi fa piacere. E si sposa?

A questa domanda, chissà perché, nessuno rispose. Il fumo, nella cucina, brillava come fosse oro, perché un raggio sottile di sole lo attraversava. C'era una sensazione di felicità e di attesa in tutti, anche, malgrado sembrasse impossibile, nella infelice Anastasia. Ed ecco, in quel raggio di sole, farsi avanti, quasi strisciando sul pavimento, il corpo orrendo, la faccia cerea e sorridente della Nana. Con comici gesti, appoggiandosi al suo bastone da uomo, accennava ch'era venuto qualcuno; come un cane, umile e contenta, tirava pel vestito l'immobile Anna.

Questa capì, alla fine.

— Uh, Giovannino! — disse voltando la testa, improvvisamente animata e beata. E disparve nel corridoio.

— Si amano, eh, si amano. Sono innamorati forte. Bella cosa, bella cosa la gioventù, — e guardando in qua e in là, la Nana parlava tutta sola, come sempre, anche perché nessuno le badava, ed Eduardo era sgattaiolato, di nascosto della madre, ad aprire la credenza per vedere il dolce.

Profittando di quell'attimo, Dora Stassano venne vicino ad Anastasia, e guardandola coi suoi occhi ardenti come fuochi neri, con appena un filo di malinconia intorno, disse sottovoce:

— Saluti da Laurano.

Di nuovo le campane ripresero a suonare, ma questa volta solo nella sua mente. Si pulì le mani piene di farina in un cencio, e testa bassa, rispose fredda:

— Ricambio.

— So che una volta ci tenevi il pensiero, — disse Dora fissandola.

— Tutti siamo stati giovani, — rispose Anastasia.

— Mi ha detto pure che, uno di questi giorni, se aveva tempo, passava un momento.

— Può venire quando vuole, ci fa sempre piacere.

La Finizio, col lungo naso appuntito sulla pentola che bolliva, sentiva che intorno a quel tavolo, nel fumo e nel freddo di quella mattina festiva, c'era un'aria diversa dalla solita; si rendeva conto che Anastasia Finizio, anche se il suo aspetto era quello apatico e serio di sempre, era turbata. Con una vera angoscia, capiva che l'equilibrio, la pace della famiglia erano in pericolo, se la colonna di quella casa s'inteneriva. Avrebbe voluto scacciare Dora Stassano, ma non voleva urtarsi con Eduardo, e poi, Dora era importante. Neanche era bene irritare Anastasia. Mortificarla, doveva, ecco tutto, mortificarla, e, indirettamente, con delicatezza, richiamarla ai suoi doveri. Nel pensare questo, doveva farsi forza per respingere un torrente di collera, e un chiuso dolore (a questo era ridotta, a mendicare dai figli), che la soffocavano. Sorridendo, si rivolse alla Stassano:

— E Antonio, come stava? Non viene a trovarci? Una volta veniva.

— Sì, mi ha detto che un giorno viene, — le gridò in un orecchio la Stassano.

— Ah, bene, bene! — disse la Finizio, con una smorfia quasi di pianto. E vedendo, mentre girava gli occhi, che Eduardo aveva tirato giù il dolce dalla credenza, e di soppiatto vi andava passando un dito, e poi leccandolo, gridò con una selvaggia irritazione: — Fuori, svergognato, fuori!

Eduardo obbedì, beato, anche perché sapeva che quel grido non era diretto a lui, e uscì dalla cucina, tirandosi dietro Dora Stassano.

— Mi sento un'esasperazione, oggi, chissà perché, — si lamentò la Finizio quando rimase sola con Anastasia.

— Vi sarete stancata, mammà.

— Forse. Queste feste sono una fatica terribile, se le godono solo i giovani. In quanto a noi, alla nostra età, non c'è più niente che possa portarci consolazione. Servire, servire fino alla morte, ecco quanto ci rimane. E tutto quanto facciamo, è per gli altri.

Nella stanza da pranzo, la tavola era apparecchiata con tutto il meglio della posateria, dei piatti e bicchieri. C'erano otto posti, perché anche Dora Stassano, che aveva solo una sorella, a sua volta invitata dalla famiglia del fidanzato, era del numero, e con lei Giovannino Bocca, fidanzato di Anna. Sulla credenza, tra qualche fascio di fiori rosa, stavano allineati i famosi bicchierini verdi, dodici in tutto, e, più dietro, si scorgeva il piatto di porcellana con la cassata di Palermo. Su un tavolino più basso, era disposta la frutta.

Ma la cosa più interessante era il Presepio, una enorme costruzione di cartone e di sughero, opera di Eduardo, che ogni anno cominciava a lavorarci due mesi prima, con la passione di un bambino, strillando come un pazzo se qualcuno lo disturbava. Quest'anno, poiché le cose andavano bene, era anche più grande delle altre volte, prendendo tutto l'angolo tra il balcone e la porta di cucina, dove di solito era collocata una mensoletta con sopra una veduta di Venezia. La stanza, a motivo di questa costruzione, sembrava più piccola e allegra. Era davvero un'opera eseguita con amore meticoloso e paziente, in cui erano sfoggiate tutte le capacità e l'intelligenza di un uomo. Il fondo era stato ottenuto con un immenso foglio di carta blu di Gragnano, sparso di forse duecento stelle ritagliate nella carta argentata e dorata, e attaccate con un po' di colla. La grotta, scavata entro l'arco di una collina che imitava un poco quella di Napoli, così ondulante e tranquilla, non era grande, e bisognava curvarsi per scorgere, dentro, le figurine non più alte di un pollice. San Giuseppe e la Vergine, ambedue modellati insieme alla pietra su cui sedevano, avevano il volto e le mani di un rosa acceso, e curvi sulla Mangiatoia sembravano fare delle brutte smorfie, proprie della gente che muore. Il Bambino, di grandezza molto superiore a quella dei genitori (anche per un'intenzione simbolica), era invece liscio e pallido, e dormiva con una gamba sull'altra, come un uomo. Il suo viso non esprimeva nulla, altro che un apatico sorriso, come se dicesse: « Questo è il mondo », o qualcosa di simile. Una minuscola lampada elettrica illuminava quella stalluccia, dove tutto, dalle carni del fanciullo al muso degli animali, esprimeva passività e un duro languore.

Fuori della Grotta, era molto più bello. I pastori, un vero esercito, inondavano immobilmente quella piccola montagna, apparendo in atto di salire e scendere lungo i pendii, di affacciarsi a questa o quella bianca casa costruita nella roccia (secondo lo stile dei paesi meridionali), o di curvarsi su un pozzo, di sedere alla tavola di un'osteria di campagna; infine di dormire, svegliarsi, passeggiare, corteggiare una ragazza, vendere (e si vedevano le bocche aperte al grido) una *spasella* di pesce, o risuolare delle scarpe (seduti a un deschetto), o eseguire una tarantella, mentre un altro, con aria maliziosa, accoccolato in un angolo, andava toccando una chitarra. Molti, con le braccia levate, vicino a un asino o a delle pecore, indicavano un punto lontano in quella carta di Gragnano, o coprivano gli occhi con una mano a difenderli dalla viva luce di un angelo, ch'era calato da un albero, con una striscia di carta su cui era scritto: « Osanna! », oppure: « Pace in terra agli uomini di buona volontà! » Non mancavano, per finire, due caffè eleganti, sul tipo di quelli di Piazza dei Martiri, coi tavolini nichelati sul marciapiede, e delle carrozze con le ruote rosse che andavano su e giù, piene di signore con gli ombrellini bianchi e il ventaglio.

Ogni tanto, qualcuno della famiglia si soffermava piamente davanti a quel simulacro della Divinità, e osservava questo o quell'animale, e, anche, ne prendeva in mano uno — una pecora o un gallo — guardandolo con curiosità da tutte le parti.

La stanza era già piena dei membri della famiglia, che chiacchieravano in attesa del pranzo, e, i più giovani, come Petrillo e Anna, facevano vibrare scherzosamente le note del piano.

— Murolo è sempre Murolo, — andava dicendo Eduardo, mentre Anna, in piedi davanti al pianoforte, faceva suonare ora questo ora quel tasto, scandendo poi a bocca chiusa, le parole di « Core 'ngrato », quelle stesse che si sentivano dalla mattina qua e là pei vicoli, da grammofoni e radio aperte:

Tutto è passato!

— Basta, basta con queste tristezze, — disse la Stassano. — Oggi ha da essere allegria. Questo è l'anno che tutti si sposano, — soggiunse strizzando l'occhio ad Anastasia.

Anastasia, in piedi vicino al balcone, elegantemente

vestita, ma con un viso lungo e malinconico, perché pensava sempre a questa vita e ad Antonio, le rivolse un'occhiata piena di gratitudine e insieme di ansia, sentendosi ancora una volta, per quelle parole, rivivere. Dunque, anche lei era considerata giovane, anche per lei c'era speranza! E quell'ingombro sul cuore, quella vergogna confusa, quella contrarietà di stare pensando cose non adatte a lei, forse erano questo l'errore, e non la speranza di vivere.

Si sentiva il bastone della zia Nana picchiare tutto intorno. La povera donna, come una rana capitata in un cerchio di farfalle, senza più badare alla noia della sua esistenza, era avida di carpire qualche voce, una nota sola di quel confuso e blando chiacchierìo, che le ridesse un contatto con ciò che aveva perduto da tempo immemorabile. Gioventù e amore la tormentavano di curiosità, e spiava i visi, non potendo sentire le voci, e borbottava e rideva continuamente, assentendo a ciò che immaginava di capire.

— Eh, eh, che allegria, che bellezza la gioventù! — Sulle guance gialle, per fare onore alla gioventù, s'era messo un po' di rossetto, e ora i suoi occhi terribili bruciavano. — Eh, eh, che allegria!

— In quanto a me, — andava dicendo Giovannino Bocca, un giovincello con due baffi color carota, e le orecchie rosse e grandi, — in quanto a me, penso che la squadra del Napoli s'avvia a esser buona. Ma ha bisogno di soldi... eh... molti soldi...

— Il nostro stadio, anche, va rinnovato... — osservò con una certa noia Eduardo, e accostatosi al pianoforte muoveva sul leggìo questo o quello spartito. — Sembra che la Casa Ricordi voglia risorgere. Avete sentito che belle canzoni, quest'anno?

— C'è un ballabile discreto... — disse Anna. — Sentite...

— Viene proprio voglia di ballare, — e Dora Stassano girò intorno a se stessa, vivacemente, mentre Petrillo la osservava.

Non c'era nulla di straordinario. Quella gioventù, malaticcia e disoccupata, con poche ambizioni, pochi sogni, poca vita, Anastasia la conosceva e compativa; eppure, in quel momento, le fece l'effetto di essere bella, sana, felice, ricca di sogni e di possibilità che si sarebbero un giorno realizzate; e partecipava di quella gioia, malgrado sapesse che non le apparteneva, che ne era distante. Il suo cervello sapeva questo, ma il suo sangue non lo sapeva più. Ecco, da un momento all'altro il giovanotto sarebbe arrivato; la porta si sarebbe aperta, ed egli sarebbe entrato diritto e, seduto al tavolo, senza guardarla, mentre tutti gli offrivano qualcosa, avrebbe chiesto, un po' impacciato, un po' commosso: « Beh, come andiamo? E tu, Anastasia, sempre al negozio? Ho sentito che ti sposi anche tu, è vero? » Ah, Dio mio! Tutto sarebbe cambiato, dopo questo discorso, il pomeriggio sarebbe stato diverso dai soliti, e la sera un'altra; forse, parlando con Anna, in camera, a notte tarda, le avrebbe raccontato tutto. E l'indomani sarebbe stato un altro giorno, e dopodomani anche. La notizia sarebbe passata. « Anastasia si sposa... Abbiamo sentito dire che Anastasia si sposa... Sembra che sposi il figlio maggiore di Laurano... Lui è più giovane di lei, ma gli uomini hanno queste curiose passioni... Non la lascia mai... È geloso... » No, geloso era troppo, anche se le faceva caldo al cuore. Avrebbero detto, invece: « Lei è quasi vecchia, ma lui le vuole bene lo stesso... Era un sentimento che aveva da anni... La stimava... »

— In tavola, in tavola! — gridò a questo punto la Finizio, entrando nella stanza con un vassoio su cui fumava la zuppiera di porcellana bianca, piena di mille occhietti gialli del brodo.

Con un gran tramestìo di sedie, la tavola fu presto occupata. Furono recitate le preghiere, poi rinnovati gli auguri, e Anastasia provava una felicità così ebbra e strana che, a un tratto, senza dir parola, andò in giro a baciare tutti, madre, fratelli, cognati, e quando tornò al suo posto non poteva fiatare, e aveva gli occhi lucidi di lacrime.

Avevano già consumato l'antipasto, e stavano assaggiando i primi tagliolini, con piccoli sospiri di soddisfazione (solo Anastasia, tutta assorta nel suo sogno, quasi non toccava il cucchiaio), quando la contentezza e la pace di quell'ora furono travolte da non so che brusìo, un'onda larga e segreta di suoni, di sospiri che venivano dal cortile, su cui affacciava il balcone della stanza da pranzo, e dalle scale e dai ballatoi scoperti del caseggiato. Petrillo, che si era alzato di scatto per andare a vedere, trattenne un momento il fiato, poi ruppe in un « Madonna! » eccitato, al che tutti o quasi si alzarono precipitosamente da tavola per accostarsi ai vetri, mentre: « Eh, che allegria, eh, che allegria! » andava ripetendo, bocca piena, la Nana, che intenta a masticare non si era accorta di nulla.

Davanti a una delle due porte del secondo piano, ch'era quello dove abitava donn'Amelia, si vedeva una piccola folla, e venivano pianti e lamenti. Quei pianti erano della serva e di una o due vicine, mentre gli altri si limitavano a commentare la sorte che aveva troncato, ancor giovane, la vita di donn'Amelia.

Con impeto, Eduardo spalancò il balcone, e tutti uscirono fuori, malgrado l'aria fredda, per vedere meglio. Così, del resto, avevano fatto tutti gli inquilini.

I balconi sul cortile erano pieni di gente che aveva interrotto il pranzo di Natale, per osservare con stupore e un certo malessere come su quella casa, proprio in un giorno di festa, era passata la morte. Sulla famiglia Finizio era caduto un certo silenzio, che poi fu rotto da voci come queste:

— Chi l'avrebbe detto!

— Povera donn'Amelia!

— Però, era malata!

— Don Liberato ha fatto in tempo a vederla.

Da una persona, nella folla, partì questo messaggio diretto a un balcone lontano: — È morta con la benedizione del Santo Padre!

— Beata a lei! — rispose un'altra voce, — ora ha finito di soffrire.

— Questa vita è martirio, — si lamentò un'altra.

— Gastigo.

— Sentite le campane! — (e infatti rombavano ancora, annunciando l'ultima messa), — suonano per lei.

— Non è più di questo mondo.

— Dio l'abbia in gloria.

E i Finizio, come stupidi, a mormorare:

— Di questo giorno!

— Chi se l'aspettava!

— Ora bisogna scendere a fare le condoglianze!

— Nemeno per sogno, — proruppe la Finizio. — Non sarebbe buona educazione. Chiudete! Chiudete le lastre! Dio l'abbia in gloria. Rientriamo.

Urtò, girandosi, nella Nana, ch'era venuta anche lei vicino al balcone, e ora, appoggiata al bastone, col suo viso gonfio per aria, tutta sbalordita, levava i grandi occhi interrogando.

— Ch'è stato? Ch'è stato?

— Donn'Amelia è morta, salute a noi! — le urlò nell'orecchio la sorella.

— La torta? e che vuole con la torta? — rispose la Nana stupefatta.

— Sfilatevi le orecchie, zia, — disse con durezza Eduardo. — Non le hanno portato nessuna torta, anzi, non ne mangerà più. È morta all'improvviso.

— Ah, ah, ah! — fece la vecchia, e il suo orribile volto colorato di rosso si oscurò, gli occhi si abbassarono e riempirono di lacrime. Questa era la vita, un giorno

o l'altro, quando non c'era più la gioventù: l'ospizio
o una cassa da morto.

Anastasia dovette andare in camera sua a prendere
un fazzoletto. Aveva il cuore delicato come le corde di
un violino, quel giorno, e a sfiorarlo suonava. Piangeva,
non tanto di pietà per la defunta, che conosceva e apprezzava, quanto di dolcezza di fronte a questa vita, che
si presentava così strana e profonda, quale mai l'aveva
veduta, piena di sonorità ed emozione. Era come se
avesse bevuto due o tre bicchieri di vino insieme, da
qualche ora: tutto era così nuovo, così intenso nella sua
semplicità quotidiana. Mai, mai si era accorta che visi
e che voci avessero la madre, i fratelli, la gente. Per questo i suoi occhi erano pieni di lacrime: non perché
donn'Amelia fosse stesa sul letto di morte, bianca in
faccia e mite com'era sempre stata, ma perché in questa
vita c'erano tante cose, c'erano la vita e la morte, i sospiri della carne e le disperazioni, le tavole imbandite
e l'oscuro lavoro, le campane di Natale e le colline tranquille di Poggioreale. Perché, mentre giù si accendevano
le candele, a un chilometro di distanza c'era il porto, con
la nave di Antonio all'àncora, e Antonio stesso, che
tanto le era stato caro, a quest'ora sedeva a tavola, in
mezzo ai suoi parenti, pensando chissà chi e che cosa.
E a un tratto si accorse che, in mezzo a tante emozioni,
il suo pensiero più profondo era tornato calmo, freddo,
inerte, come sempre era stato, e di Antonio e della vita
stessa più non le importava.

Non si domandò perché fosse questo. Sedé ancora,
come la mattina, sul letto, e guardando tranquillamente
i particolari più disadorni e noti della stanza — quelle
sedie, quei vecchi quadri, i ramoscelli secchi d'ulivo sul
bianco dei muri — andava pensando come sarebbe stata
la sua esistenza da qui a vent'anni. Si vide ancora in
questa casa (non vide il proprio viso), sentì il suono

appena irritato della sua voce chiamare i nipoti. Tutto sarebbe stato come oggi, in quel Natale fra vent'anni. Solo le figure, cambiate. Ma che differenza c'era? Si chiamavano ancora Anna, Eduardo, Petrillo, avevano le stesse facce fredde, prive di vita e di gioia. Erano gli stessi, anche se in realtà erano cambiati. La vita, nella loro razza, non produceva che questo: un rumore fioco.

Stupì, ricordando la grande festa della mattina, quell'affiorare di speranze, di voci. Un sogno, era stato, non c'era più nulla. Non per questo la vita poteva dirsi peggiore. La vita... era una cosa strana, la vita. Ogni tanto sembrava di capire che fosse, e poi, tac, si dimenticava, tornava il sonno.

Squillò il campanello, nel corridoio, e subito dopo si sentirono passi, esclamazioni, voci animate, e quella della Finizio, segretamente vittoriosa: — Signora mia, che pietà, avete sentito? — Era la vicina della casa accanto, che veniva a chiedere in prestito del caffè. Nella strada, che doveva essere deserta, perché non ne veniva altra voce, altro suono, due cafoni erano intenti a soffiare in una zampogna, e quel suono triste e tenero arrivava dovunque, e a volte si confondeva con un po' di vento che vagava adesso nel cielo di Napoli.

— Anastasia! — chiamò la voce della Finizio. Certo, aveva bisogno di qualche cosa. — Anastasia! — ripeté dopo un momento.

Meccanicamente, in quel torpore ch'era sopravvenuto adesso nel suo cervello, e la faceva inerte, quieta, Anastasia andò all'armadio, lo aperse, e visto il mantello turchino, che stava lì come una persona abbandonata, vi fece scorrere delicatamente le dita sopra, provando una pietà che però non era legata a niente, a nessun particolare ricordo o sofferenza. Quindi, avvertito a un tratto il richiamo della madre, rispose adagio, senza alcuna intonazione:

— Vengo.

L'autobus che doveva lasciarmi in Via Duomo, dove
comincia San Biagio dei Librai, era così stipato che mi
fu impossibile scendere al momento giusto, e quando
finalmente misi piede a terra, la squallida facciata della
Stazione centrale mi stava di fronte, col monumento a
Garibaldi e una carovana di vetture tramviarie di un
verde stinto, di neri tassì sgangherati, di carrozze tirate
da piccoli cavalli che dormivano. Voltai le spalle e tornai
indietro, fino a Via Pietro Colletta, nel famoso rione dei
Tribunali. Il cielo era di un azzurro chiaro, smagliante
come nelle cartoline al platino, e sotto quella luce gli
uomini venivano e andavano in modo confuso, in mezzo
agli edifici che sorgevano qua e là, senza ordine apparente, come nuvole. All'inizio di Forcella, mi fermai perplessa. C'era un gran movimento, più su, in cima alla
stretta via, un ondeggiare di colori, fra cui spiccavano
il rosso chiaro e il nero, un ronzare doloroso di voci.
Un mercato, pensai, una rissa. C'era una vecchia seduta
accanto a una pietra, all'angolo della via, e mi fermai a
domandarle che stessero facendo tutte quelle persone.
Alzò il viso butterato dal vaiuolo, chiuso in un gran fazzoletto nero, guardò anche lei a quella lontana striscia

di sole, in mezzo a Forcella, dove si gonfiava, come un serpe, tanta folla, e ne veniva quell'alterno doloroso ronzìo. — *Niente stanno facenno, signò*, — disse calma, — *vuie sunnate.*

Erano anni che non scendevo laggiù, e avevo dimenticato che Forcella, con San Biagio dei Librai, è una delle vie più fittamente popolate di Napoli, dove l'andirivieni della gente dà spesso la sensazione di un avvenimento straordinario. Il sole, attraverso il velo della polvere, diffondeva una luce rossigna, non più gaia. Dalle soglie di centinaia di bottegucce, o dalle sedie disposte sui marciapiedi, donne e bambini lo guardavano con una strana aria ebete. Perfino gli asini legati ai carretti della verdura, sembravano colpiti dalla particolare torbidità della luce, e muovevano le orecchie lunghissime a respingere i tafani, con una pazienza fatta di silenziosa apatia. Da un carrettino come quelli della Nettezza Urbana, momentaneamente abbandonato nel centro della strada, emergeva una testa; più sotto, c'era il tronco di un uomo sui cinquant'anni, chiuso accuratamente in una giacca abbottonata fino al collo e cucita di sotto e di lato a modo di sacco. Un piattello dorato legato al petto con uno spago, invitava il passante a lasciarvi il suo obolo, ma nessuno se ne accorgeva e, per dire la verità, neppure lui faceva qualche cosa per risvegliare la pietà pubblica. Con la guancia rossa di vino appoggiata a un sacco, le orecchie anche rosse di vino, addirittura splendenti, certi capelli grigi che gli piovevano sulle sopracciglia, e un sorriso delicato sulla bocca semiaperta, quel cittadino dormiva. D'ogni parte, intanto, passavano nani e nane, vestiti decorosamente di nero, con le facce pallide, deformi, grandi occhi pietosi, le dita come rami al petto, badando a scansare i bambini e i cani che li urtavano. Altri mendicanti, minorati o semplicemente professionisti, erano sdraiati a terra, con l'immagine di questo o quel santo patrono incollata sotto il mento, o con un cartello che elencava le disgrazie e i figli, come si vede anche nelle vie signorili di questa città, in Chiaia o Piazza dei Martiri, e aspettavano decentemente, o sognavano. Certe campane suonavano forte, chiamando quelle anime alla messa.

Uscendo da Forcella in Via Duomo, il traffico appariva più composto e come silenzioso, ma subito riprendeva più forte con San Biagio dei Librai, che può dirsi il prolungamento di Forcella.

Come altre vecchie e poverissime vie di Napoli, anche San Biagio dei Librai era fitta di negozi d'oro. Una vetrinetta opaca, un banco eccessivamente levigato (quanti gomiti e mani di donnette non vi si appoggiarono, da oltre un secolo, forse), una larva d'uomo con gli occhiali, che bilancia nella mano cauta, e osserva silenziosamente un oggetto brillante, mentre una donnina o una vecchia, in piedi davanti al banco, lo spiano ansiosamente. Spettacolo ancora più intenso: la trappola momentaneamente vuota, e la stessa larva, uscita sulla soglia come per riposarsi, guarda vagamente intorno, spiando a sua volta, nella folla, l'accostarsi di un viso scolorito dai digiuni, di due occhi vergognosi. Quel tappeto di carne, che anche entrando in San Biagio dei Librai mi era parso fittissimo, una volta sul posto non c'era più, o per lo meno non era così allucinante, come non lo è più un affresco se vi ci accostate. Rimaneva un fatto: come già a Forcella, non avevo visto ancora tante anime insieme, camminare o stare ferme, scontrarsi e sfuggirsi, salutarsi dalle finestre e chiamarsi dalle botteghe, insinuare il prezzo di una merce o gridare una preghiera, con la stessa voce dolce, spezzata, cantante, ma più sul filo del lamento che della decantata allegria napoletana. Veramente era cosa che meravigliava, e oscurava tutti i vostri pensieri. Sgomentava soprattutto il numero dei bambini, forza scaturita dall'inconscio, niente affatto controllata e benedetta, a chi osservasse l'alone nero che circondava le loro teste. Ogni tanto ne usciva qualcuno da un buco a livello del marciapiede, muoveva qualche passetto fuori, come un topo, e subito rientrava. I vicoli che tagliano questa via, già così stretta e corrosa, erano ancora più stretti e corrosi. Non vedevo le lenzuola di cui è piena la tradizione napoletana, ma solo i buchi neri a cui un tempo furono esposti: finestre, porte, balconi con una scatola di latta in cui ingiallisce un po' di cedrina, vi spingevano a cercare, dietro le povere lastre, pareti e arredi e magari altre piccole finestre aperte e fiorite su un orto dietro la casa; ma non vedevate nulla, se non un groviglio confuso di cose varie, come coperte o rottami di ceste, di vasi, di sedie, sopra i quali, come un'immagine sacra annerita dal tempo, spiccavano gli zigomi gialli di una donna, i suoi occhi immobili, pensierosi, la nera corona dei capelli raccolti sul capo con una forcina, le braccia stecchite, congiunte sul grembo. Alla base del vicolo, come un tappeto persiano ridotto ora tutto grumi e filamenti, giacevano frammenti delle immondizie più varie, e anche in mezzo a queste sorgevano pallide e gonfie, oppure bizzarramente sottili, con le grosse teste rapate e gli occhi dolci, altre figurette di bambini. Pochi quelli vestiti, i più con una maglietta che scopriva il ventre, quasi tutti scalzi o con dei sandaletti di altra epoca, tenuti insieme a furia di spago. Chi giocava con una scatola di latta, chi, disteso per terra, era intento a cospargersi accuratamente il volto di polvere, alcuni apparivano impegnati a costruire un piccolo altare, con una pietra e un santino, e c'era chi, imitando graziosamente un prete, si rivolgeva a benedire.

Cercare le madri, appariva follia. Di tanto in tanto ne usciva qualcuna da dietro la ruota di un carro, gridando orribilmente afferrava per il polso il bambino, lo trascinava in una tana da cui poi fuggivano urli e pianti, e si vedeva un pettine brandito in aria, o una bacinella di ferro appoggiata su una sedia, dove lo sfortunato era costretto a piegare la sua dolorosa faccia.

Faceva contrasto a questa selvaggia durezza dei vicoli, la soavità dei volti raffiguranti Madonne e Bambini, Vergini e Martìri, che apparivano in quasi tutti i negozi di San Biagio dei Librai, chini su una culla dorata e infiorata e velata di merletti finissimi, di cui non esisteva nella realtà la minima traccia. Non occorreva molto per capire che qui gli affetti erano stati un culto, e proprio per questa ragione erano decaduti in vizio e follìa; infine, una razza svuotata di ogni logica e raziocinio, s'era aggrappata a questo tumulto informe di sentimenti, e l'uomo era adesso ombra, debolezza, nevrastenia, rassegnata paura e impudente allegrezza. Una miseria senza più forma, silenziosa come un ragno, disfaceva e rinnovava a modo suo quei miseri tessuti, invischiando sempre più gli strati minimi della plebe, che qui è regina. Straordinario era pensare come, in luogo di diminuire o arrestarsi, la popolazione cresceva, ed estendendosi, sempre più esangue, confondeva terribilmente le idee all'Amministrazione pubblica, mentre gonfiava di strano orgoglio e di più strane speranze il cuore degli ecclesiastici. Qui, il mare non bagnava Napoli. Ero sicura che nessuna lo avesse visto, e lo ricordava. In questa fossa oscurissima, non brillava che il fuoco del sesso, sotto il cielo nero del sovrannaturale.

Essendo mezzogiorno, e come nei giorni precedenti verso quell'ora era piovuto, vidi il cielo coprirsi di un velo di ovatta, che indebolì immediatamente le ombre delle case, e quelle già brevissime delle persone. Alcune donne camminavano davanti a me, precedute da una coppia di preti altissimi, con le mani di cera chiuse intorno a un libro di pelle rossa, che presto sparvero sotto un portico con un fruscìo di sottane. Le donne avevano in mano degli involtini bianchi, e ogni tanto vi guardavano dentro, e sospirando parlavano. Quando giunsero davanti alla chiesa di San Nicola a Nilo, si segnarono, e poi entrarono nel cortile che le si apre di fronte.

O Magnum Pietatis Opus era scritto sul frontone dell'edificio in fondo al cortile. La facciata, di un grigio inerte, era simile a quelle di tutti gli ospedali e gli ospizi dei quartieri di Napoli. Ma dietro, invece di lettini, si allineavano gli sportelli del Monte dei Pegni, « grande opera di pietà » del Banco di Napoli.

Quando arrivai lassù, al secondo piano dell'edificio, c'erano già sulle scale, davanti a una delle porte più maestose che abbia mai osservate, gruppetti vari di povera gente, seduta quale sugli scalini, quale su certi involti: erano le donne incinte, le vecchie, le malate, quelle che non si reggevano più in piedi, e avevano pregato un parente o un'amica di tenergli il posto nella « fila ».

Spinsi la porta, facendomi cautamente largo tra quei corpi, e mi trovai in una immensa sala dal soffitto altissimo, illuminata da due ali di finestroni, sovrastato ciascuno da un altro finestrone, di forma quadrata, ermeticamente chiuso. Nel vano pendevano, come cenci sottili, lunghe tele di ragno.

Era la sala destinata al traffico degli oggetti preziosi.

Una vasta folla, solo approssimativamente disposta in fila, tumultuava davanti agli sportelli dei Pegni Nuovi. C'era una grande animazione, perché proprio quella mattina era venuto l'ordine di dare il meno possibile per ogni pegno. Certi visi color limone, incappucciati in brutte permanenti, giravano e rigiravano tra le mani, con aria delusa, la grigia cartella del pegno. Una vecchia enorme, tutta ventre, con gli occhi infiammati, piangeva ostentatamente, baciando e ribaciando, prima di separarsene, una catena. Altre donne e qualche uomo dai visi appuntiti, aspettavano compostamente sulla panca nera appoggiata al muro. Seduti a terra, dei bambini in camicia giocavano. — Nunzia Apicella! — gridava intanto più in là, verso l'esigua schiera di quelli che ritiravano un pegno, la voce di un impiegato; — Aspasia De Fonzo!... — I richiami si susseguivano di minuto in minuto, sopraffatti dal brusìo accorato del popolo che commentava la disposizione nuova, e non riusciva a rassegnarsi. Un agente coi baffetti neri e gli occhi grandi, languidi, che portava la divisa come una vestaglia, andava su e giù, indifferente e annoiato, fingendo di tanto in tanto di rimettere in ordine, con le mani, le file. Stava parlando con un tale, quando la grande porta della sala s'aprì con impeto, per lasciar passare una donnetta sui quarant'anni, coi capelli rossi, vestita di nero, che trascinava con sé due bambini bianchissimi. Quella infelice, di cui poi si conobbe nome e mestiere, Antonietta De Liguoro, *zagrellara*, cioè merciaia, aveva saputo in strada che il Banco dov'era diretta per impegnare una catena, quel giorno chiudeva prima, e non l'avrebbero più fatta passare. Con un viso rosso, congestionato, gli occhi celesti fuori dalle orbite, scongiurava tutti di farle la grazia, aveva bisogno d'impegnare la catena prima della chiusura, perché suo marito doveva partire per Torino, dove il figlio maggiore era gravemente ammalato. Nulla valse a calmarla. Anche quando l'ebbero assicurato che poteva mettersi senz'altro in fila, continuò a singhiozzare e a chiamare: — Mamma del Carmine, aiutatemi —. Molte di quelle donne, dimentiche della grossa tristezza di poco prima, si occupavano ora di lei, le più lontane mandavano accorati consensi e voti, le vicine le toccavano le spalle, le mani, le rassettavano i capelli con una loro forcina; e non si parla delle premure che rivolgevano ai due bambini, i prolungati e un po' teatrali *core 'e mamma*. Queste due creature, che potevano avere sì e no tre o quattro anni, sottili e bianche come vermi, avevano sul viso di cera certi sorrisetti così vecchi e cinici, ch'era una meraviglia, e ogni tanto guardavano di sotto in su, con un'aria maliziosa e interrogativa, quella loro frenetica madre. Una specie di movimento popolare portò subito quella donnetta, di cui ognuno sapeva ora vita e miracoli, davanti allo sportello, scavalcando la feroce burocrazia del turno. Ed ecco il dialogo che giungeva alle mie orecchie incantate:

Impiegato, dopo aver osservato la catena, asciutto:

— Tremila e ottocento lire —. ZAGRELLARA: — *Facìte quattromila, sì?* —. IMPIEGATO: — L'ordine è questo, figlia mia —. ZAGRELLARA: — Ma mio marito debbe prendere il treno, ve ne scongiuro, teniamo un figlie malato e questi due piccerille... fatelo per l'Addolorata! — IMPIEGATO, tranquillissimo: — Tremila e ottocento... *si 'e vvulite...* — e rivolto a un altro impiegato: — Amedeo, di' a Salvatore che *purtasse n'atu cafè...* senza zucchero...

Con gli occhi infiammati, ma ora perfettamente asciutti, Antonietta De Liguoro ripassò di lì a poco davanti a tutti, trascurando fieramente, o forse senza affatto vederli, a causa della sua angoscia, quelli che poco prima le erano stati vicini con la loro cristiana pietà. La seguivano, attaccati con una manina alla veste, i due bambini di cui lei non mostrava neppure di accorgersi.

— Quella là, — disse l'agente a un giovanotto che aveva l'aspetto di uno studente, e portava sottobraccio una borsa rossa, da cui usciva la frangia di un asciugamano, — è un anno che suo marito parte col treno per Torino. *Nun tene nisciuno*, a Torino... Neppure il marito, tiene... *nun vo' fa' 'a fila... e i' nun 'a dico niente...* — Seguì con gli occhi l'abile *zagrellara*, che ora, fatta una breve sosta davanti alla cassa, scappava verso la porta, col denaro e il grigio foglio del pegno stretti al petto. Squallida e pietosa, la folla dimenticava se stessa, per accompagnare la presunta vittima con parole di conforto e indignazione contro un'antica ingiustizia, che ora a tutti trapelava: — Gesù Cristo la deve consolare... quella Mamma del Carmine l'aiuterà... Dio sopra la piaga mette il sale, — e sguardi di un odio astratto agli sportelli e al soffitto, dove ciascuno vedeva passeggiare, tra le sottili tele di ragno, le autorità locali e il governo.

Intanto, la voce indifferente di un impiegato aveva

ricominciato a chiamare: — Di Vincenzo Maria... Fusco
Addolorata... Della Morte Carmela...

Improvvisamente, si fece un gran silenzio, poi un
mormorìo trasecolato, pieno d'infantile stupore, percorse
le tre file dei Pegni nuovi. — Si può sapere che tenete? — chiese l'impiegato affacciandosi allo sportello.
Nessuno gli badava. Una farfalla marrone, con tanti fili
d'oro sulle ali e sul dorso, era entrata, chissà come, dalla
porta sulle scale, sorvolando quella ressa di teste, di
spalle curve, di sguardi affannati; e ora volteggiava...
saliva... scendeva... felice... smemorata, non decidendosi
a posare in nessun luogo. — Uh!... uh!... uh!... — mor-
moravano tutti.

— *O' bbi lloco 'o ciardino!* — disse una donna al
neonato che piangeva lentamente con la testa contro la
sua spalla. Una vecchia deforme, vicino alla porta, con
la bocca piena di pane, cantava.

Una delle cose da vedere a Napoli, dopo le visite regolamentari agli Scavi, alla Zolfatara, e, ove ne rimanga tempo, al Cratere, è il III e IV Granili, nella zona costiera che lega il porto ai primi sobborghi vesuviani. È un edificio della lunghezza di circa trecento metri, largo da quindici a venti, alto molto di più. L'aspetto, per chi lo scorga improvvisamente, scendendo da uno dei piccoli tram adibiti soprattutto alle corse operaie, è quello di una collina o una calva montagna, invasa dalle termiti, che la percorrono senza alcun rumore né segno che denunci uno scopo particolare. Anticamente, le mura erano di un rosso cupo, che ancora emerge, qua e là, fra vaste macchie di giallo e ditate di un equivoco verde. Ho potuto contare centosettantaquattro aperture sulla sola facciata, di ampiezza e altezza inaudite per un gusto moderno, e la più parte sbarrate, alcuni terrazzini, e, sul dietro dell'edificio, otto tubi di fognatura, che sistemati al terzo piano lasciano scorrere le loro lente acque lungo la silenziosa muraglia. I piani sono tre, più un terraneo, nascosto per metà nel suolo e difeso da un fossato, e comprendono trecentoquarantotto stanze tutte ugualmente alte e grandi, distribuite con una regolarità perfetta a destra e a sinistra di quattro corridoi, uno per piano, la cui misura complessiva è di un chilometro e duecento metri. Ogni corridoio è illuminato da non oltre ventotto lampade, della forza di cinque candele ciascuna. La larghezza di ogni corridoio va da sette a otto metri, la parola corridoio vale quindi a designare, più che altro, quattro strade di una qualunque zona cittadina, sopraelevate come i piani di un autobus, e prive affatto di cielo. Soprattutto per il pianoterra e i due piani superiori, la luce del sole è rappresentata da quelle ventotto lampade elettriche, che qui brillano debolmente sia la notte che il giorno.

Sui due lati di ciascun corridoio si aprono ottantasei porte di abitazioni private, quarantatre a destra, quarantatre a sinistra, più quella di un gabinetto, contraddistinte da una serie di numeri che vanno da uno a trecentoquarantotto. In ognuno di questi locali sono raccolte da una a cinque famiglie, con una media di tre famiglie per vano. Il numero complessivo degli abitanti della Casa è di tremila persone, divise in cinquecentosettanta famiglie, con una media di sei persone per famiglia. Quando tre, quattro o cinque famiglie convivono nello stesso locale, si raggiunge una densità di venticinque o trenta abitanti per vano.

Enunciati così sommariamente alcuni dati circa la struttura e la popolazione di questo quartiere napoletano, ci si rende conto di non avere espresso quasi nulla. Ogni giorno, in mille competenti uffici di tutte le città e i paesi del globo, macchine perfette allineano numeri e somme di statistiche, intese a precisare in quale e quanta misura nasca, cresca e si dissolva la vita economica, politica e morale di ogni singola comunità o nazione. Altri dati, di una profondità quasi astrale, si riferiscono invece alla vita e alla natura degli antichi popoli, alle loro reggiture, trionfi, civiltà e fine; o, scavalcando addirittura ogni più caro interesse storico, si rivolgono a considerare la vita o le probabilità di vita dei pianeti che brillano nello spazio. Il III e IV Granili, uno dei fenomeni più suggestivi di un mondo, come l'Italia Meridionale, morto al tempo che avanza, va quindi, più che scoperto in ingenue cifre da questo o quell'oscuro cronista, visitato accuratamente, in tutte le sue deformità e gli assurdi orrori, da gruppi di economisti, di giuristi, di medici. Apposite commissioni potrebbero recarvisi a contare il numero dei vivi e dei morti, e di quelli come di questi esaminare le ragioni che li condussero o li tennero o li portarono via di qui. Perché il III e IV Granili non è solo ciò che si può chiamare una temporanea sistemazione di senzatetto, ma piuttosto la dimostrazione, in termini clinici e giuridici, della caduta di una razza. Secondo la più discreta delle deduzioni, solo una compagine umana profondamente malata potrebbe tollerare, come Napoli tollera, senza turbarsi, la putrefazione di un suo membro, ché questo, e non altro, è il segno sotto il quale vive e germina l'istituzione dei Granili. Cercare a Napoli una Napoli infima, dopo aver visitato la caserma borbonica, non viene più in mente a nessuno. Qui, i barometri non segnano più nessun grado, le bussole impazziscono. Gli uomini che vi vengono incontro non possono farvi nessun male: larve di una vita in cui esistettero il vento e il sole, di questi beni non serbano quasi ricordo. Strisciano o si arrampicano o vacillano, ecco il loro modo di muoversi. Parlano molto poco, non sono più napoletani, né nessun'altra cosa. Una commissione di sacerdoti e studiosi americani, che oltrepassò arditamente, giorni or sono, la soglia di quella malinconica Casa, tornò presto indietro, con discorsi e sguardi incoerenti.

Avevo segnato su una scatoletta di fiammiferi, che dopo mi servì per altre ragioni, il nome della signora Antonia Lo Savio. Con nessun altro indirizzo, una mattina di questo novembre, varcai la soglia del grande ingresso che si apre sul lato destro del III e IV Granili.

Quando la portinaia, seduta dietro una grande pentola nera in cui bollivano dei vestiti, e dopo avermi esaminata freddamente, mi disse che non sapeva chi fosse questa Lo Savio, e andassi a domandare al primo piano, provai la tentazione di rimandare tutto a un altro giorno. Era una tentazione violenta come una nausea di fronte a un'operazione chirurgica. Dietro di me, sullo spiazzo che precede l'edificio, giuocavano una diecina di ragazzi, senza quasi parlare, lanciandosi delle pietre; alcuni, vedendomi, avevano smesso di giocare, in silenzio si accostavano. Di fronte, vedevo il corridoio del pianoterra, per una lunghezza, come accennai, di trecento metri, ma che in quell'attimo sembrò incalcolabile. Nel centro e verso la fine di questo condotto, si muovevano senza alcuna precisione, come molecole in un raggio, delle ombre; brillava qualche piccolo fuoco; veniva, da dietro una di quelle porte, una ostinata, rauca nenia. Ventate di un odore acre, fatto soprattutto di latrina, giungevano continuamente fin sulla soglia, mescolate a quello più cupo dell'umidità. Pareva impossibile potersi inoltrare di dieci metri in quel tunnel, senza svenire. Fatti pochi passi, vidi cadere a destra un po' di luce, e scopersi una di quelle scale dai gradini larghissimi e non più alti di un dito, che un tempo avevano permesso ai cavalli istallati al pianoterra, di raggiungere coi loro carichi il primo piano. Forse faceva meno freddo di quanto avessi temuto, ma l'oscurità era quasi assoluta. Rischiai d'inciampare, e accesi un cerino, ma subito lo spensi: ecco alcune, piccolissime lampade, nel cui interno tremano e si torcono continuamente dei fili rossastri: a questo barlume, si delineava il corridoio del primo piano.

Qualcuno, verso il fondo di questa strada, stava abbrustolendo del caffè, perché all'odore di orina e di umidità, si mescolava ora anche quello più grato dei chicchi bruciati. Il fumo, però, faceva lacrimare gli occhi, e metteva intorno alle lampade minuscole come spilli, un alone più roseo. Passai davanti, non vedendoli che quan-

do mi furono vicini, a un gruppo di ragazzi che giuocavano a girotondo, tenendosi per le mani molto distante,
e rovesciando indietro le teste arruffate, con una voluttà
più forte di quella di un giuoco normale. Sfiorai ciocche
di capelli duri, come incollati, e alcune braccia dalla
carne fredda. Vidi finalmente la donna che abbrustoliva
il caffè, seduta sulla soglia di casa sua. Nell'interno c'era
un disordine e un chiarore selvaggio, dato da un imprevedibile raggio di sole, che si buttava dalla finestra (aperta sul dietro dell'edificio), attraverso vasi e cenci, sulle
materasse. C'era anche del sangue. La donna, nera e
asciutta, seduta su una sedia completamente spagliata,
girava di continuo, con una specie di orgoglio, il manico
di legno del cilindro di ferro, dal cui portellino una nuvola di fumo saliva a isolarle la testa. In piedi vicino a
lei, altre tre o quattro ragazze, in vesti nere, aperte sul
petto bianco, seguivano con gli occhi seri e accesi la
danza dei chicchi nel cilindro. Vedendomi, si scostarono,
e la donna smise di far saltare il cilindro sul fuoco, che
per un momento cessò quasi d'illuminare. Il nome di
Antonia Lo Savio le lasciò silenziose. Mi accorsi dopo,
durante le successive visite, che questo silenzio, piuttosto che indicare perplessità o indecisione, manifestava
curiosità e un sentimento più sinistro, anche se debole:
il desiderio di coinvolgere per un attimo, nella oscurità
in cui dominavano, lo straniero di cui era evidente l'abitudine alla luce. Per lo meno, molte di queste persone
hanno giuocato, durante le mie visite, a non rispondere
o a indirizzarmi verso luoghi da cui non avrei potuto
facilmente risalire. Stavo per proseguire la mia strada,
sforzandomi di apparire tranquilla, quando una delle ragazze, volgendosi verso una porta, disse lentamente,
senza guardarmi: — *Vedite lloco*.

Una donnetta tutta gonfia, come un uccello moribondo, coi neri capelli spioventi sulla gobba e un viso color
limone, dominato da un grande naso a punta che cadeva
sul labbro leporino, stava pettinandosi davanti a un fram-

mento di specchio, e tra i denti stringeva qualche forcina. Sorrise, vedendomi, e disse: — *Nu minuto* —. La mia felicità nel vedere un sorriso simile in un luogo simile, m'indusse a riflettere qualche attimo se fosse o no sconveniente rivolgerle il titolo di signora. Non era che un enorme pidocchio, ma quale grazia e bontà animavano gli occhi suoi piccolissimi. — Signora, — dissi accostandomi a lei rapidamente, e le feci il nome del dottor De Luca, direttore dell'ambulatorio per i poveri dei Granili, che mi aveva mandata da lei perché mi accompagnasse un po' in giro. — *Nu minuto...* abbiate compiacenza, — ripeté continuando a sorridere e a pettinarsi, e mi accorsi allora che la sua voce, in fondo al rantolo del catarro, era dolce. Credo fosse questa sensazione, inconsciamente avvertita, a restituirmi un po' di coraggio. Mi addossai alla porta, aspettando che quella creatura finisse di acconciarsi, e intanto sbirciavo il gruppo delle caffettiere. Il fumo si era diradato, e in quell'improvviso grigiore esse apparivano ancora più pallide. Mormorarono qualche parola, in cui risuonò il nome della Lo Savio, con un riso silenzioso, colmo di disprezzo, e mi turbavano quelle che pensavo essere le ragioni di tanta ostilità. La Lo Savio, sulla soglia di casa sua, finiva di pettinarsi, con un certo indugio di ragazza, come se fosse maggio, ed ella stesse pensando al suo amore, quando si accostò, con le mani in tasca, i capelli diritti in testa, un'aria spavalda e tetra, un bambino. Procedé, con un'esitazione impercettibile, verso il centro della stanza, e andò a sedersi sulle tavole del letto (non vidi mai, in questa grande Casa, un letto rifatto, solo materasse distese o ammonticchiate, al più con una coperta gettata sopra). Una volta seduto, e dondolando le gambe sottili, cominciò a canticchiare: — *E ce steva 'na vota 'na reggina, che teneva i capille anella anella,* — con una voce afona. S'interruppe a un tratto per rivolgersi alla Lo Savio: — *Signò, tenèsseve nu pucurillo 'e pane?* — e da questo capii che non era suo parente. Mentre la Lo Savio, con in bocca l'ultima forcina, gli rispondeva qualcosa, mi accostai al bambino, e gli domandai come si chiamasse. Rispose: — Luigino —. Gli feci altre domande, e non rispose più nulla. Gli era apparso su tutta la faccia un sorriso ambiguo, sprezzante, che contrastava bizzarramente con l'espressione assente e morta degli occhi. Sentendomi imbarazzata, come se il suo sorriso, misteriosamente maturo, non già più di bambino, ma di uomo, e di uomo avvezzo a trattare solo con prostitute, contenesse un giudizio, una valutazione atroce della mia stessa persona, mi allontanai di qualche passo. Ed ecco la Lo Savio accostarsi col pane, che il ragazzo cominciò a mangiare. — Questo povero figlio, — diceva adesso la Lo Savio, — non tiene padre né madre. Sta qui dal '46, con una mia cugina, alla porta accanto. Per giunta, è pure cecato.

Il ragazzo rimase un attimo in silenzio, e in quell'attimo, le mani che stringevano il pane, gli scivolarono fino alle ginocchia. In qualche modo mi osservava. — *Nu pucurillo ce veco; mo veco 'n'ombra che acala 'a capa. Ve ne jate, signò?*

Risposi di sì, dopo qualche momento, e mi avviai con la Lo Savio.

— *V'accumpagnasse, ma aspetto 'n amico,* — proseguì con una nuova intonazione, dove la spavalderia della menzogna, necessaria a salvarlo, moriva in una specie di stupefatta pietà, d'intenerito calore. Riadagiò la testa, che per un momento aveva sollevata, sul pagliericcio, e riprese a cantare: — *E 'na barca arrivaie alla marina* — con un filo di voce, una fissità, che dovevano avere lo scopo, ogni mattina, di persuaderlo nuovamente al sonno.

Uscendo con la mia guida, cercavo nella mia mente confusa le ragioni con le quali avrei potuto abbandonare subito quel luogo, e raggiungere il piazzale, la fermata del primo autobus o tram. Mi pareva che, appena uscita, avrei gridato, e sarei corsa ad abbracciare le prime persone che avessi incontrate. Guardavo la Lo Savio, e ne ritraevo continuamente gli occhi. Non sapevo, d'altra parte, dove posarli. Alla luce delle poche lampade, la vedevo meglio: regina della casa dei morti, schiacciata nella figura, rigonfia, orrenda, parto, a sua volta, di creature profondamente tarate, rimaneva però, in lei, qualcosa di regale: la sicurezza con cui si muoveva e parlava, e un'altra cosa, anche, un lampo vivissimo in fondo agli occhietti di topo, in cui era possibile ravvisare, insieme alla coscienza del male e della sua estensione, certo tutto umano piacere di tenergli fronte. Dietro quella deplorevole fronte esistevano delle speranze. Accortasi del mio impaccio nel camminare, si affrettò a sfiorare con una mano il mio gomito, ma senza toccarlo. Questo persistere di umiltà in un così continuo coraggio, questa dignità del tenersi distante da chi essa riteneva salvo, mi imposero una certa calma, e mi dissi che non avevo il diritto di mostrarmi debole. Camminavamo lungo il corridoio del primo piano, verso le scale dei cavalli, dirette al pianoterra, che secondo la mia guida era la cosa più importante. In due parole, essa mi raccontò il perché dell'avversione di buona parte della popolazione femminile della Casa: era cominciata da quando la Lo Savio aveva deciso di dedicarsi all'ambulatorio, in quanto si sospettava che essa godesse le simpatie del Direttore, e traesse dalla sua attività vantaggi immediati, come medicine, che avrebbe rivendute, pacchi dell'ECA, e altro. — Da sei mesi ho abbandonato la casa e tutto, — mi confessò semplicemente, — *mi faccio la capa*, e scendo. Perché questa non è una casa, signora, vedete, questo è un luogo di afflitti. Dove passate, i muri si lamentano.

Non erano i muri, certo, era il vento che s'insinuava tra le grandi porte, ma pareva proprio che la grande Casa tremasse continuamente, in modo impercettibile, come per una frana interna, un'angoscia e un dissolversi di tutta la materia quasi umana che la componeva. Ora mi apparivano i muri bagnati, corrotti, tutti incrostazioni e cupe stille. Incontrammo due bambini che salivano rincorrendosi, con dei gesti osceni. Una donna che scendeva dal secondo piano, portando una bottiglia verde avvolta in un fazzoletto, come fosse un bambino, e comprimendosi con l'altra mano la guancia, da cui fuoriusciva una specie di bubbone, di fungosità rossiccia, forse prodotta dall'umido. Sentimmo a un tratto cantare, con una voce affannata, stranissima, un inno sacro in cui si lodava la bontà di esistere. — Questo è il maestro, — disse la Lo Savio, — un sant'uomo, una persona fina. Tiene l'asma da venticinque anni, e non può più lavorare. Ma quando si sente meglio, parla sempre di Dio.

Credevo che la porta che spinse fosse quella dell'asmatico. Eravamo al pianoterra, e l'oscurità e il silenzio erano leggermente più forti che al primo, rotti solo dal vago chiarore grigio che appariva lontano, a trecento metri, dove il corridoio terminava, e dalle impercettibili lampade che si susseguivano come mosche di fuoco attaccate al soffitto. Qua e là, porte, porte, porte, ma fatte di assi, di làmine di metallo, e a volte anche di pezzi di cartone o di tendine scolorate.

— C'è permesso?
— Favorite.
Strana stanza. Una donna, nel fondo, enorme e forte, vestita di nero, ritta dietro un tavolo, fumava una cicca. Sul tavolo c'erano una bottiglia vuota e un cucchiaio di legno. Alle spalle della donna, come un sipario, una finestra immensa, con delle tavole inchiodate e incrociate da pali, in modo da impedire il passaggio al benché minimo filo d'aria e di luce. C'era in questa stanza, e precisamente il 258 B., un odore persistente di feci, raccolte in vasi nascosti, lo stesso che riscoprimmo in quasi tutti questi locali. Dovevano, questi vasi, trovarsi dietro i tramezzi fatti di carta da imballaggio o di brandelli di coperte, che dividevano l'ambiente, a non più di un me-

tro dal suolo, in due o tre alloggi. La donna mi aveva guardato subito le mani, con un occhio nero, reso losco dallo strabismo, e visto ch'erano vuote aveva mostrato un'aria delusa. Le dame dell'aristocrazia napoletana, mandando di tanto in tanto qualche pacco, lo straniero che giunge qui a mani vuote non può essere considerato che un nemico o un pazzo. Lo capii solo lentamente.

— Questa signora, — disse la Lo Savio, — è venuta a vedere come state. Vi può essere utile. Raccontate, raccontate, figlia mia.

Quel cattivo sguardo strabico mi cadde ancora addosso, scendendomi nel collo come un liquido viscido. Poi, vincendo il peso e la stanchezza della enorme carne che l'ammantava, la De Angelis Maria disse con una voce lamentosa, sgradevole, come se fosse carica di schifo, ma anche annebbiata da un forte sonno: — *Avutàteve...* — (voltatevi).

A piede di un materasso disteso per terra, c'erano delle croste di pane, e in mezzo a queste, muovendosi appena, come polverosa lanugine, tre lunghi topi di chiavica rodevano il pane. La voce della donna era così normale, nel suo stanco schifo, e la scena così tranquilla, e quei tre animali apparivano così sicuri di poter rodere lì quei tozzi di pane, che ebbi l'impressione di stare sognando, o per lo meno di stare contemplando un disegno, di un'orrenda verità, che mi aveva soggiogata al punto da farmi confondere una rappresentazione con la vita stessa. Sapevo che quegli animali sarebbero rientrati presto nel loro buco, come infatti, dopo qualche momento, fecero, ma ora tutta la stanza ne era ammorbata, e anche la donna in nero, e la Lo Savio e io stessa, mi pareva che partecipassimo della loro oscura natura. Usciva intanto, da dietro una tenda, aggiustandosi la cravatta, un giovanotto in abito da società, con un viso tutto pustole, e la pelle, sotto quelle macchie marrone, di un pallido verde. Aveva in mano un violino, e lo toccava appena con le sue vecchie dita.

— Mio figlio, suonatore ambulante, — lo presentò la madre.

— Guadagnate?

— Dipende.

— Avete altri figli? — dissi alla madre.

— Con questo, sette. Antonio, *pulizzastivale* (lustrascarpe), Giuseppe, facchino, questo che suona, uno malato mentale, gli altri disoccupati.

— E vostro marito?

Non rispose.

Mentre uscivamo, un giovane vestito quasi da donna, con uno scialle sulle spalle e un aspetto gracile, mi salutò inchinandosi fino a terra. — *Oi ma'*, — lo sentii che diceva entrando in casa, rivolto alla donna, — *aggio visto 'na casarella vicino 'o mare, ce stava pure ll'erba cedrina, 'a vulesse affittà* —. Disse altre parole confuse, poi ritornò sull'uscio facendo delle smorfie, con un'aria pensierosa.

La casa del maestro Cùtolo era qualche metro più avanti, di fronte a quella del pazzo, e mi resi conto del perché quel brav'uomo cantava. A differenza delle altre stanze, qui entrava il sole. Un benefattore che non aveva voluto dire il suo nome, ne aveva fatto regalo al maestro, servendosi di alcuni vetri che aveva fatto applicare all'alta finestra. Inondata così della pallida luce invernale, la grande stanza appariva nitida e in certo modo lieta, impressione che non andò neppure dopo smentita. Nel sole, seduti a terra, giuocavano due bellissimi bambini, quasi nudi, con gli occhi neri, obliqui, e un sorriso serio. Il signor Cùtolo, che ci aperse la porta, era in mutande, e si scusò molto per questo particolare. Lo avevamo sorpreso gradevolmente, con la nostra visita, e non aveva avuto il tempo di riordinarsi. Era un uomo ancora giovane, sui quarant'anni, di media statura, ma così fine da sembrare un adolescente. I suoi capelli erano biondi, gli occhi celesti, il viso scavato e inondato da un sorriso il cui fondo, come quello di un'acqua bassa, era una sconsolata tristezza. — Sono lieto, ci dichiarò subito, — perché il mio cuore è pieno della santa obbedienza ai voleri di Dio.

— Oggi vi sentite meglio? — domandò la mia guida, — *pe' tramente*, vi abbiamo sentito cantare.

— Grazie alla santa indulgenza di Dio verso un suo povero servo, sì, — rispose con grazia, affannando.

Lo guardavo, e mi pareva che quel viso me ne ricordasse un altro, come una vecchia immagine velata da una nuova. Improvvisamente, ritrovai l'uomo ch'era stato vent'anni prima, quando chi scrive abitava in un edificio sito nella zona portuale della Napoli d'allora, piena di traffici, di bandiere, di vele, di carichi, e dell'allegria del denaro. Lui, il Cùtolo, era fattorino nella compagnia di Navigazione « Garibaldi », al secondo piano. Correva sempre in chiesa, quando poteva, era di famiglia civile, e aveva il diploma di ragioniere.

— Come mai vi trovate qua?

— Durante la guerra, casa mia fu distrutta. Mio padre morì, salute a voi, mi rimase il carico della madre e di due sorelle. La santa volontà di Dio dispose che questo sacrificio non durasse a lungo. La madre se la chiamò Iddio, una sorella si maritò con un militare, e ora è ad Avellino; un'altra vive a Sezione Avvocata, presso una vedova. Io, grazie a Dio, ora ho la mia casetta, i miei figli, una buona moglie, non mi posso lamentare. L'ambulatorio mi passa le medicine.

— Vostra moglie che fa?

— Cameriera, presso una santa famiglia.

Gli occhi scavati dalla fatica di respirare, mi guardava e sorrideva.

— Mangio medicine, mangio. Talvolta mi vergogno di profittare così della bontà del dottor De Luca.

Chiamò i bambini, che vennero lentamente, e se li teneva stretti ai fianchi, con un lampo d'indicibile orgoglio. Essi stavano nudi, e i loro bei volti, gli sguardi, erano sani e insieme tristi. Immaginai la loro madre, una forte contadina, una serva.

— Per l'Anno Santo ne avrei voluto un altro, mia moglie non ha obbedito, — disse con dolce vanità. — Si è rifiutata allo Spirito creatore che anima il mondo.

I due fratelli fissavano ora me, ora lui, con un viso pensieroso, mordendosi le nere unghie.

— Amo tanto i bambini, qui ci sarebbe tanto da fare, — proseguì con tristezza ansiosa il Cùtolo, guardando verso la porta. — In questa casa ce ne saranno almeno ottocento, di questi birichini, ma non conoscono la santa obbedienza, purtroppo non sono educati. Talvolta io li chiamo, vorrei insegnare loro i principî della nostra santa religione, qualche canzoncina ideale, così, per raffinarli. Ma si rifiutano, si rifiutano sempre.

Mentre parlava, all'uscio rimasto aperto avevano fatto capolino alcune teste d'individui dai sette ai dieci anni. Una decina d'occhi attentissimi, quali rossi e mezzo chiusi, quali pieni di un'avidità animale, giravano in certe orbite incassate. Uno di essi stringeva qualcosa in mano, e aveva un viso particolarmente forte, intelligente. A un tratto, uno dei fratelli Cùtolo si mise a urlare e a saltare come un pazzo, tenendosi un piede in mano: — *Oi ma', oi ma'!* — aveva ricevuto una sassata, e nello stesso tempo, così silenziosamente com'erano apparse, quelle quattro o cinque figure disparvero.

Il maestro, dopo un momento di esitazione, forse di vergogna, si mise a consolare suo figlio, esortandolo a perdonare quei birichini che non avevano avuto il vantaggio di una cristiana educazione. Uscita sulla porta, vedevo quelli, che si erano fermati nel buio, venti metri più in là, respirando affannosamente, come il maestro, con negli occhi la stessa espressione di gioia ineffabile.

Benché non avessi visto altro che queste poche cose, si era fatto tardi. Nella città e altrove, in tutto il mondo, era l'ora che la gente rientra a casa. Anche qui, in questo paese della notte, rientrava qualcuno, avanzando a tentoni dal fondo del corridoio, straccioni, mendicanti, suonatori, uomini e donne senza volto. In certe case si cucinava qualche cosa: un fumo, che aveva la densità di un corpo azzurro, scappava da qualche porta, s'intravedevano nell'interno fiamme gialle, volti neri di gente accoccolata tenendo sulle ginocchia una scodella. In altre stanze, invece, tutto era fermo, come se la vita si fosse pietrificata; uomini ancora in letto, si rigiravano sotto grige coperte, donne erano intente a pettinarsi, con l'incantata lentezza di chi non conosce quale sarà, dopo, l'altra occupazione della sua giornata. Tutto il terraneo, e il primo piano a cui risalimmo, erano in queste condizioni di inerzia sconsolata. Non si aspettava nulla, e nessuno. Al secondo e terzo piano, mi spiegò la Lo Savio, la vita assumeva invece un aspetto umano, riprendeva un ritmo che poteva assomigliare in qualche modo a quello di una normale città. Le donne, la mattina, rifacevano i letti, spazzavano, spolveravano, pettinavano se stesse e i bambini, molti dei quali erano avviati, con veri grembiulini neri e cravatte azzurre, a una scuola di suore. Parte degli uomini, avevano un'occupazione. Avevano acquistato delle radio e fatto costruire quelle tubature per lo scarico dei rifiuti, che, sistemate al terzo piano, affliggevano col loro fetore e macchiavano le finestre degli abitanti dei piani inferiori.

Mentre salivamo quassù, godendo di una certa luce del giorno che cominciava a piovere dalla scala, e respirando un'aria meno opprimente, fummo raggiunte da un gruppo di ragazzi e bambine in grembiule nero, con fiocchetti e cartelle, che tornavano dalla scuola. Una radio, da una porta aperta, trasmetteva musica di canzoni. Sentimmo una chiara voce maschile, quella dell'annunciatore di Radio Roma, scandire: — E ora, cari ascoltatori... — poco dopo la voce di un cantante modulava le prime note di « Passione ». Come in tutta Napoli, anche qui il tono della stazione era tenuto altissimo, un po' per l'avidità del rumore, caratteristica di questa popolazione, ma anche per il piacere tutto borghese di poter dimostrare ai vicini che si è in condizioni agiate, e ci si può permettere il lusso di un apparecchio potente.

Non entrammo in nessuna di queste case, si trattava di famiglie abbastanza normali, quelle stesse che s'incontrano agli ultimi piani delle vecchie case cittadine. Molte finestre erano fornite di vetri, e, in loro mancanza, pendevano dal soffitto lampade elettriche di una forza senz'altro superiore a quella di cui beneficiavano i primi piani. Qui ci si vedeva nitidamente, e, mi disse la Lo Savio, al terzo era addirittura uno sfolgorìo, c'erano lampade anche vicino ai letti, che avevano le loro lenzuola, esistevano armadi con regolari ganci per i vestiti, si vedevano tavoli lucidi, con centrini, fiori finti, ritratti, e, sotto l'orologio a muro, qualche divano. Alcuni degli uomini della famiglia, avevano un lavoro ben retribuito, erano impiegati, fattorini di banca o commessi, buona gente ancora dignitosa e tranquilla, che, perduta la casa in seguito a un crollo o uno sfratto, e non riuscendo subito a trovarne un'altra, si era adattata a vivere ai Granili, senza per questo rinunciare al suo decoro, frutto di una onorata tradizione. Evitavano qualsiasi contatto con i cittadini dei primi piani, mostrando per la loro abiezione una severità non priva di compassione, e mista di compiacenza per la propria floridezza, che attribuivano a una vita virtuosa, e sulla cui stabilità non avevano alcun dubbio. Per una circostanza assolutamente casuale, un motivo fortuito, imprevisto, e che sarebbe altrettanto presto cessato, come una disoccupazione, una malattia, accadeva a volte che qualcuno di questi buoni cittadini fosse costretto a cedere il suo alloggio, contro piccola ceditura, a un capo famiglia più fortunato, e si adattasse a sistemarsi con i suoi a un piano inferiore, sicurissimo di risalire entro breve tempo al terzo, o addirittura di lasciare i Granili. Quell'uomo, quella famiglia, non ritornavano mai più alla superficie del pozzo, e neppure ne uscivano, benché in un primo tempo fosse parsa cosa facile. I bambini, una volta lindi e sereni, in quel buio si coprivano d'insetti e i loro volti diventavano sempre più gravi e pallidi, le ragazze si mettevano con uomini sposati, gli uomini si ammalavano. Non risaliva più nessuno, da giù. Non era facile risalire quei gradini in apparenza piani e comodissimi. C'era qualcosa che chiamava, da giù, e chi cominciava a scendere era perduto, ma non se ne accorgeva che alla fine.

— Signora mia, scusate, — stava dicendo una specie di *maitresse* in vestaglia, ritta davanti alla porta di una di quelle case, con una tazzina in mano e un sorriso negli occhi bluastri, — mi servirebbe qualche grano di sale. Ho calato in questo momento la pasta, e mi sono accorta che non ne tenevamo...

Due ventenni rincasavano parlando della partita.

Un vecchio pensionato, seduto su una sedia davanti alla propria porta, leggeva « Il Mattino ».

Si sentivano delle voci limpide di ragazzi strillare intorno a una zuppa.

In un'altra casa, due ragazze lunghe come cavalle, con delle magliette azzurre, i visi incipriati, erano intente a leggere un settimanale illustrato davanti alla radio.

Più forte 'e 'na catena

gridava la radio, come in tutti i quartieri della Napoli monarchica e traffichina, la domenica, verso l'una, quando si effonde intorno, per le stanze rassettate e lustre, piene di parenti e di gioventù che ritorna dalla Messa, l'antico e familiare odore di salsa e carne del « ragù ».

Eravamo, o almeno lo ero io, in quello stato d'animo tra l'angoscia e la consolazione di chi, uscito da una casa di pena, ritrova la luce, l'aria, e in qualche modo la dolce libertà umana, un certo livello di vita, allorché un rumore confuso e dolente, di cui non si avvertiva con chiarezza il significato, oscillando tra il dolore e una sorta di straziato sollievo, attrasse la nostra attenzione. Questo suono, come di passi e di pianto, proveniva da uno dei piani inferiori, saliva dalle scale profonde alle quali in questo frattempo ci eravamo riavvicinate. Non bastava la gaia voce dell'annunciatore di Radio Roma, a soffocarlo, né l'atmosfera quasi serena del secondo piano. La Lo Savio, dopo un attimo di riflessione, aveva cominciato rapidamente a scendere le scale, senza più badarmi, e io la seguii. Al primo piano, ritornando la notte, quei rumori e quelle voci furono più chiare: passi di uomini e donne, neppure molti, ma certo un buon numero, che camminavano portando *qualcosa*, e voci tranquille che rimpiangevano o consolavano. Ci passò davanti la donna col viso coperto da una fungaia, parlava adagio con una donna grassa, e diceva: — *Mo' fa juorno, pe' quella creatura, mo' vede Dio!* — al che l'altra assentiva pacatamente asciugandosi l'occhio con una pezza. Altra gente era affacciata, immobile, alle porte del corridoio, commentando in suo gergo l'accaduto: — *Pazzianno è fernuto* —. Al pianoterra, finalmente, vedemmo di che si trattava. Portavano via certo Antonio Esposito, di sette anni, soprannominato *Scarpetella*, deceduto mezz'ora prima per cause sconosciute, mentre giuocava con alcuni coetanei. All'improvviso s'era portato la mano al cuore, e si era seduto in un angolo. Adesso lo portavano all'Obitorio per gli accertamenti, e profittavano, genitori e amici, per improvvisare un funerale. Ed era, come si può capire, il funerale più semplice che avessi mai veduto. Il morto non era neppure nella cassa, ma in braccio alla madre, una cosa gialla, tra la volpe e il bidone delle immondizie. Il bambino era per metà avvolto in una coperta, di cui pendevano i lembi qua e là, insieme alle braccia sottili. Era un biondo con la faccia fine, le labbra semiaperte in un'espressione meravigliata, che neppure la benda intorno alle mascelle era riuscita a frenare. La sua calma e la sua gioia, caratteristiche di quelli che hanno lasciato la vita, erano come sottolineate da un grumo di catarro, fermo sotto la narice destra, che faceva pensare a un abbandono e un silenzio che nessuno avrebbe più turbato. Dietro veniva il padre, portando, chissà perché, in seguito a quale confusione della sua mente davanti alla sciagura improvvisa, le scarpe del ragazzo. Parlava col prete che gli veniva dappresso, un uomo obeso, apatico, sforzandosi a una calma solo apparente, a giudicare dal modo con cui si stringeva al collo, sul petto nudo, i baveri della giacca. Dio li aveva gastigati, anche l'anno prima n'era morto uno così. Dopo la disgrazia di Vincenzina, non avevano trovato più pace. Questo sembrava sano, in buona salute. Dietro i genitori, seguivano cinque o sei giovanotti, dagli sguardi ebeti, tutti figli della volpe e fratelli del morto, affiancati da un gruppo di donnette che pregavano ad alta voce, ed era stato questo, insieme ai falsi singhiozzi di qualcuno dei fratelli, il rumore assurdo che mi aveva colpita. Come assurda era la compostezza dell'uomo e della donna, in un paese come Napoli, dove si recita continuamente. Tutte le porte, come al primo piano, adesso erano aperte, senza però una parola, un commento pietoso come usa nella plebe. Vedemmo anche il maestro Cùtolo, coi suoi bambini stretti al fianco, e un'aria estasiata. — Una bella creatura, — esclamò vedendoci; — Dio, nella sua bontà infinita, ha voluto sottrarlo a tutte le occasioni di male di questa vita, chiamandolo a sé. Lodiamo la sua infinita sapienza. Ora, quel birichino di *Scarpetella* si sta arrampicando sugli alberi del cielo.

Non aveva finito di parlare, che suonò sotto quelle nere volte un grido mozzo, strascicato, orribile, come se la persona che lo emetteva non riuscisse a liberarsene. Nello stesso tempo, avanzò correndo dall'imboccatura del corridoio, dove appariva un po' di luce, una giovanetta di forse vent'anni, lustra e adorna di cose false. Strappandosi ai due uomini che l'accompagnavano, e che apparivano esitanti, corse incontro al gruppo, e per un momento si confuse con esso. Il funerale si fermò, come le processioni quando un devoto vuole appuntare un'offerta in denaro sulla veste della Madonna. — *Cher'è! Vui pazziate! Vui nun tenite core!* — Non sentimmo altro.

— *Vattènne!* — gridò dopo un momento una voce durissima. Era la madre che tentava, dopo il primo momento di stupore, di strappare il morto all'abbraccio della ragazza. Ma questa, come una demente, gli si era aggrappata; quasi cadendo, per debolezza o altro, sulle ginocchia, cercava di tirarlo a sé, e sfuggendole il viso di lui, che la madre cercava coprire, gli abbracciava ora le nude e sporche gambe, i piedi scalzi.

— Svergognata! questa è una svergognata, — diceva ora il padre al prete; — se ne andò di casa senza più arricordarsi di noi. Le domandammo soccorso nella nostra necessità, e fece rispondere che non teneva più genitori. Ora si commuove pel suo povero fratello.

— *Scarpetè!* — chiamava intanto, con un grido dove tenerezza e spavento erano una cosa sola, la giovane Vincenzina; — *nun pazzià, scètate! Tu me chiammave matina e ssera, pure 'n zuonno. I' nun tengo a nisciuno, core* —. E qui un gran pianto.

Ora, la volpe guardava la maggiore delle sue figlie, con un lampo, un sorriso indefinibile, tra sciocco e amaro, negli occhi brillanti. — *Lle curreva sempre appriesso,* — spiegava in giro, — *tocche tocche, con le sue scarpetelle. Addò sta? spiava, quanno se n'è fujuta.*

— Abbiate misericordia, — disse il prete con indifferenza, — Iddio ne avrà pel vostro povero Antonio, che a quest'ora è davanti a Lui, con i suoi piccoli peccati —. Si curvò a mormorare qualcosa all'orecchio della giovane, che subito alzò il viso, con un'espressione incantata, mentre continuava a stringere al petto il rigido involto. Depose questo, con un bacio, in braccio alla donna, cercò, tutta rossa in volto, ma senza più lacrime, nella borsetta di pelle lucida che le era scivolata a terra, ne tolse un grande biglietto rosa, e lo porse alla madre. Questa sorrise, e anche il padre, intenerito, abbassava il capo. Qualcuno aggiustava la benda al bambino, la cui bocca si era allargata. Poi il corteo, con le meste preghiere che ci avevano tanto impressionate, riprese il suo viaggio tranquillo e apparentemente doloroso, verso l'arco grigio di luce che annunciava l'uscita.

Dopo questo, non seppi e non vidi più nulla di preciso. La Lo Savio mi condusse di porta in porta per tutto il pianoterra e il primo piano, e poi ancora al pianoterra, dove avevamo dimenticato qualche famiglia. Del luttuoso fatto, nessuno parlava, e mi resi conto che laggiù non sopravviveva nessuna possibilità di emozione. C'era buio, e nient'altro. Silenzio, rapidi ricordi di un'altra vita, una vita più dolce, nient'altro. Neppure la Lo Savio parlava. Spingeva una porta con garbo: — C'è permesso? — qualcuno rispondeva: — *Trasìte*, — oppure non rispondeva affatto; allora lei entrava, guardandosi intorno coi suoi occhietti pungenti. Immediatamente, otto, dieci, quindici persone uscivano dall'ombra, chi si levava da un letto, come un morto che stia fantasticando, chi inquadrava per un attimo la sua testa selvaggia al disopra di un tramezzo di legno. Donne, che di donna non avevano più altro che una sottana e dei capelli, piuttosto simili a una crosta di polvere che a una capigliatura, si accostavano silenziose, spingendo i bambini avanti, come se quell'infanzia maledetta potesse proteggerle o rincuorarle. Gli uomini, invece, rimanevano più indietro, come vergognandosi. Qualcuno mi guardava le scarpe, le mani, non osando però levarmi gli occhi in viso. In molte famiglie, come già in quella della De Angelis, c'era un tale che si presentava come malato mentale. — Voi che lavoro fate? — domandavo, e lui, dopo un'esitazione, cercando di sorridere: — Malato mentale. — Vedete! — gridavano con una specie di trionfo le donne, — Gesù Cristo ci vuole provare. A noi, chi ci fa bene, Cristo glielo rende! — e spiavano la Lo Savio e me, ansiose di sentire un accenno ai pacchi. Io guardavo soprattutto i ragazzi, e capivo che essi potessero morire d'improvviso, correndo, come *Scarpetella*. Questa infanzia, non aveva d'infantile che gli anni. Pel resto, erano piccoli uomini e donne, già a conoscenza di tutto, il principio come la fine delle cose, già consunti dai vizi, dall'ozio, dalla miseria più insostenibile, malati nel corpo e stravolti nell'animo, con sorrisi corrotti o ebeti, furbi e desolati nello stesso tempo. Il novanta per cento, mi disse la Lo Savio, sono già tubercolotici o disposti alla turbercolosi, rachitici o infetti da sifilide, come i padri e le madri. Assistono normalmente all'accoppiamento dei genitori, e lo ripetono per giuoco. Qui non esiste altro giuoco, poi, se si escludono le sassate. — Voglio farvi vedere una creatura, — disse.

Mi condusse verso il fondo del corridoio, dove da un po' di luce verde che traspariva da una fessura, si capiva che a Napoli era scesa la sera. C'era una porta, da cui non veniva un suono, una voce. La Lo Savio bussò appena, poi entrò senza attendere risposta, come chi è di casa.

Era una vasta stanza pulita e deserta, tra la grotta e il tempio. Non fosse stata la presenza di una minuscola lampada, la cui luce collocata molto in alto dava più fastidio che gioia, quel locale avrebbe fatto pensare a un'antica e dimenticata rovina. C'era, più forte e tetro che altrove, un odore di umido, filtrato da cose in corruzione. Una donna ancor giovane, e dall'aspetto estatico, ci venne incontro.

— Come sta Nunzia vostra? — chiese la Lo Savio.
— *Verìte*.

Ci accompagnò a una culla ricavata da una cassetta di *Coca Cola*, che appariva piccola e miserabile sul fondo di una delle solite solenni finestre ermeticamente sbarrate. In quel lettino, privo di biancheria, su un cuscino molto piccolo, sotto una giacca da uomo, incrostata e dura, riposava una neonata dal viso bizzarramente gentile e come adulto: un viso delicato, bianchissimo, illuminato da due occhi dove brillava l'azzurro della sera, intelligenti e dolci, che si muovevano in qua e in là, tutto osservando, con un'attenzione superiore a quella che può concepire un bambino di pochi mesi. Vedendoci, si posarono su noi, su me, salirono alla fronte, si girarono, cercarono la madre, come interrogando. La madre alzò con una mano la giacca, e vedemmo un corpicino della lunghezza di qualche palmo, perfettamente scheletrito: le ossa erano sottili come matite, i piedi tutti grinze, minuscoli come le zampine di un uccello. Al contatto dell'aria fredda, la bambina li trasse a sé, lentamente. La madre lasciò ricadere la giacca-coperta.

Non mi ero ingannata quando, vedendola, avevo sentito che Nunzia Faiella conosceva già da qualche tempo la vita, e vedeva e capiva tutto, senza però poter parlare.

— Questa creatura tiene due anni, — mi disse la Lo Savio sottovoce. — Per i *visceri*, non è più cresciuta... Nunzia bella... — la chiamò accoratamente.

Sentendo queste parole, debolmente quell'esserino sorrise.

— Una volta la portai fuori... dal medico, — disse la giovane parlando con una voce grossa, maschile, tra esaltata e rassegnata (e così capii che solo una volta, nella sua esistenza, Nunzia Faiella aveva veduto la luce del sole, forse un pallido sole d'inverno), — *guardava ll'aria... 'o sole... era stupetiata.*

Anche adesso, Nunzia Faiella era meravigliata: i suoi dolci occhi scrutavano di volta in volta il soffitto altissimo, le pareti verdastre, si ritraevano e tornavano continuamente sul raggio della lampada, che forse le ricordava qualcosa. Non vi era in essi tristezza e neppure dolore, ma il senso di un'attesa, di una pena scontata in silenzio, con la sola vita di questa attesa, di una cosa che poteva venire di là da quei muri immensi, da quell'alta finestra cieca, da quel buio, quel tanfo, quel sentore di morte.

— Nunzia, — chiamò ancora la Lo Savio, curvandosi sulla cassetta e parlando affettuosamente a quell'esserino, — che fai? Vuoi lasciare a mamma tua? Vuoi andare a fare Natale con Gesù Bambino?

Allora, accadde una cosa che non mi sarei mai aspettata. La bambina si volse a guardare la madre, con un sorriso incerto, che a un tratto divenne una smorfia, poi dette in un pianto che sembrava venisse dall'interno di un mobile, tanto era debole, soffocato, leggero, come chi piange in sé, senza più forza né speranza d'essere udito.

Uscendo da quella stanza, fui urtata violentemente da due donne che avevano saputo dell'arrivo di un gruppo di giornalisti, e correvano a fare un reclamo per un'*infamità* che sopportavano da tempo. Era stato chiuso apposta, dissero, uno dei due cessi del terraneo, ed esse, ch'erano vicine di casa, dovevano ogni giorno fare trecento metri di strada, per andare a vuotare i vasi nel gabinetto all'altro capo del corridoio, dove c'è l'ambulatorio. Dall'ira, passarono subito al pianto. Erano due tigri che avevano patito troppo, nella loro vita, perché non ne venissero fuori lamenti umani. Si misero a parlare dei loro uomini disoccupati, privi di biancheria, di scarpe, di tutto, dei ragazzi che le straziavano con la loro disobbedienza. Piangevano e si aggrappavano a noi, volevano mostrarci le loro case. Impossibile non accontentarle.

In una di queste, l'assistente del dottor De Luca, un giovanottino dall'aria fredda e annoiata, vestito in modo trascurato, era venuto a visitare un vecchio la cui fine appariva imminente, e che era zio di una delle due donne, Assuntina. La stanza era piena di gente, larve, che pareva stessero odorando. Non vedevo il morente, nascosto dalla folla e dal dottore, ma la mia attenzione fu attratta da un'altra persona, non potrei dire un uomo, che, in piedi dietro al dottore, lo toccava di tanto in tanto sulla spalla. Era una creatura di età indefinibile, disfatta, strana, con un che di mite e terribile insieme. I suoi occhi erano protetti da grossi occhiali, e una delle lenti appariva più doppia dell'altra. Aveva una frangetta di capelli grigi sulla fronte, che s'infilavano sotto la lente, dando una maggiore ambiguità alle pupille. Con la mano sinistra, mentre con l'altra toccava il dottore, si grattava continuamente, con una specie di tic, il petto, tentando aprirsi la camicia.

Finalmente il dottore si voltò.

— Tu che vuoi? — disse bruscamente.

— Bi...bi...bi...bismuto.

— Passa all'ambulatorio più tardi.

— Sì...sì...sì...

— Parla buono! — disse con violenza una donnetta, uscendo da dietro una tenda. Sembrava una di quelle lunghe cagne, piene di mammelle, che si trascinano con una solenne mestizia da un rifiuto all'altro. I suoi capelli erano ancora dorati, ma il viso terroso, gli occhi spenti, la bocca priva di denti. Le spalle strette, infantili, contrastavano con la gran curva del ventre sulle corte gambe. Al dito, portava l'anello.

— Il dot-to-re ca-pi-sce, — disse il malato, umilmente.

Un minuto dopo, il dottore era uscito, e le larve erano rientrate tutte nei loro buchi, in questo caso i quattro recinti in cui la stanza, molto grande, era divisa, per mezzo di casse, coperte, vecchi lenzuoli tirati lungo due canne, e anche fogli di giornale, il tutto illuminato da una lampada ad olio. Assuntina stava porgendo una medicina allo zio, che sorrideva rigidamente, assorto, quando proprio da dietro questo giaciglio, dove si alzava un tramezzo, avvertii un respiro ansioso, soffocato, beato. Sporsi appena la testa e vidi, a piedi di un altro letto, il sifilitico e sua moglie. Lui era seduto sulla sponda, lei gli stava in ginocchio davanti, e con la lingua fuori dalla bocca gl'inumidiva una mano. All'infelice erano caduti gli occhiali, guardava in alto, come cieco, e tutto il suo corpo tremava.

Cominciava la notte, ai Granili, e la città involontaria si apprestava a consumare i suoi pochi beni, in una febbre che dura fino al mattino seguente, ora in cui ricominciano i lamenti, la sorpresa, il lutto, l'inerte orrore di vivere.

La sera scende sulle colline

La sera del 19 giugno (sera per modo di dire, essendo
il cielo chiarissimo e il sole ancora fisso a mezzo il mare,
con uno sguardo intento), presi un tram della linea 3,
che percorre tutta la Riviera di Chiaia e termina a Mergellina, sedetti in un angolo, vicino a una donna senza
naso, che portava in grembo una grossa pianta, e mi
misi a pensare con quali parole avrei giustificato la mia
visita a Luigi Compagnone, impiegato all'Ufficio Prosa
di Radio Napoli, che non vedevo da molto tempo, e dal
quale appunto stavo andando. Avevo bisogno di alcune
informazioni sui quattro o cinque scrittori giovani di
Napoli, Prisco, Rea, Incoronato e La Capria (che aveva
il suo primo romanzo in via di stampa presso un editore
del Nord); non escludevo Pratolini, benché l'autore di
Cronache di poveri amanti non potesse dirsi napoletano,
né alle prime armi, ma avevo saputo ch'era sul punto,
se già non lo aveva fatto, di lasciare definitivamente la
città. Dal Compagnone, che per un certo tempo in casa
li aveva avuti tutti, speravo qualche notizia più particolare, maliziosa, di quelle che sollevano tanto il tono

di un articolo. « Che cosa fanno i giovani scrittori di Napoli » era il titolo del mio articolo, destinato a un settimanale illustrato.

Non si poteva dire che quel tram corresse. Andava con un ritmo così lento, benché a Piazza Vittoria, quando ero salita, si potesse dire normale, da favorire il sospetto che il conducente si fosse addormentato, oppure, con un mezzo occhio aperto, giacesse ferito sul suo seggiolino. In realtà, quell'uomo dalla giubba sbiadita e priva di bottoni, sedeva regolarmente alla guida, ma rallentava sempre più l'andatura, a causa delle cattive condizioni della strada, che appariva addirittura sconvolta.

Sporgendomi dal finestrino, vidi per l'estensione di un chilometro e più, quanto è lunga la Riviera di Chiaia, un vero formicolìo di uomini seminudi, grigio il dorso, grigi i calzoncini, grigia la testa e le mani con cui lavoravano a rompere le pietre. I basoli della strada erano tutti smossi, conferendole l'aspetto di un torrente in piena, le torbide acque, precipitose e oblique, improvvisamente drizzate e pietrificate. Molte strade, quando certi lavori sono in corso, assumono questa espressione agitata e squallida. Ma qui si avvertiva qualcosa di diverso, che in breve costringeva a rifiutare, per una definizione, i due aggettivi nominati. No, non si poteva parlare né di *agitato* né di *squallido*; questa strada, piuttosto, rimaneva ridente e terribile, come appunto l'espressione d'intelligenza e bontà che appare talora sul viso ai defunti. Era una strada *defunta*, così almeno la definii nel mio cuore, sperando poterle trovare in seguito un attributo meno intenso ed irrazionale, cosa che invece non fu possibile.

Ritrovavo a destra del percorso le medesime case dell'800 e i palazzi del '6-700, che un tempo si erano sostituiti lentamente alle povere case dei pescatori, numerose, due secoli fa, in quella zona urtata direttamente dal mare. Nulla di più grazioso e ridente, anche dopo i selvaggi anni '40-45: la pioggia di forellini che aveva macchiato le facciate dopo i mitragliamenti, e le grandi e solenni lacerazioni aperte dalle bombe, avevano per qualche tempo conferito una certa animazione a quelle mura, in perfetto accordo con gli elementi umani formicolanti alla base. Quel qualcosa di nero e colorato, quell'interminabile nastro di plebe che si agitava perennemente alla radice delle case, aveva emesso, per la prima volta, in quegli anni successivi alla tempesta, un rumore nuovo, imprevedibile, incantato, pari al fruscìo della risacca sulla rena, dopo l'uragano. Vi era dell'inquietudine, e soprattutto della speranza, in quel sordo continuo rumore. Ecco perché i vetri delle case avevano brillato, e le facciate rosa e gialle erano parse battute da un altro sole, vivide, rinnovate. A distanza di qualche anno (era tanto che mancavo da Napoli), la famosa Riviera di Chiaia appariva un'altra. Una patina, misterioso intruglio di piogge, polvere e soprattutto di noia, si era distesa sulle facciate, velandone le ferite, e riconducendo il paesaggio a quella immobilità rarefatta, a quell'espressivo equivoco sorriso che appare in volto ai defunti. Forse, ove fosse mancata l'eterna folla di Napoli, semovente come un serpe folgorato dal sole, ma non ancora ucciso, tra quelle distinte apparenze di un'età remota, quel paesaggio non sarebbe apparso spettrale. Ma quegli uomini e donne e bambini seminudi, e cani e gatti ed uccelli, tutte forme nere, sfiancate, svuotate, tutte gole che emettono appena un suono arido, tutti occhi pieni di una luce ossessiva, di una supplica inespressa — tutti quei viventi che si trascinavano in un moto continuo, pari all'attività di un febbricitante, a quella smania tutta nervosa che s'impadronisce di certi esseri prima di morire, per un gesto che gli sembra necessario, e non è mai il definitivo — quella grande folla di larve che cucinava all'aperto, o si pettinava, o trafficava, o amava, o dormiva, ma mai veramente dormiva, era sempre agitata — turbava la calma arcaica del paesaggio, e mescolando la decadenza umana alla immutata decenza delle cose, ne traeva quel sorriso equivoco, quel senso di una morte in atto, di vita su un piano diverso dalla vita, scaturita unicamente dalla corruzione.

Il sole brillò un momento sulla lastra di un finestrino, e per un attimo macchiò di rosso le ginocchia della mia vicina. Essa stava guardando, attraverso i vetri, la strada e quella folla silenziosa di operai e di miserabili che l'animavano; un sorriso leggerissimo, compiaciuto, vagava nei suoi occhi neri al disopra della cicatrice. Con la familiarità di questa gente, per cui gli *altri* non esistono se non come motivo di colloquio, e questo colloquio è più che altro un monologo senza freni, mi disse che per l'8 settembre, festa di Piedigrotta, i lavori sarebbero stati ultimati, e la strada pronta per l'impianto delle luminarie, che quest'anno, col nuovo sindaco, si annunciavano straordinarie. Un uomo magro e dall'aspetto seriamente ammalato, che sedeva di fronte a noi, annuì col capo. Disse sottovoce queste parole, che riferisco più per la stranezza del loro suono, su quelle labbra, che per la loro importanza: « *Lassa fa' a Dio* ». Poco dopo la vettura, che aveva rallentato, fin quasi a fermarsi, a causa di un gruppo più folto di operai, riprese la sua andatura normale, e, intanto, il sole era calato.

Per qualche momento potei osservare, alla sinistra del percorso, le macchie scure degli alberi della Villa Comunale, che fronteggia Chiaia per quasi tutta la sua lunghezza, separandola dal mare. Questo parco, che nei primi anni del 700 consisté solo di un doppio filare di alberi e di tredici fontane fatte sistemare sulla spiaggia dal Duca di Medina, alla fine del secolo fu convertito in giardino da Ferdinando IV, e da allora costituì una delle zone più decantate di Napoli. Sul lato verso Via Caracciolo possiede un lungo galoppatoio, frequentato tuttora dall'aristocrazia, mentre i viali centrali sono continuamente affollati da bambini e bambine della borghesia, che vi portano le loro biciclette e i monopattini. I giovani della plebe, invece, esseri dai cinque ai quindici anni, ne invadono volentieri i punti più ombrosi: vi si recano a fare i loro bisogni, oppure a torturare degli animali; o seggono pensando cose d'amore, ruffianerie, canti; i tisici vi sono condotti dai parenti per consiglio del medico, e si vedono consumarsi su quelle pietre come bianche ali di farfalla. Benché il Circolo della Stampa, con la sua lussuosa palazzina, gli conferisca certo decoro formale, la notte quel luogo, attraversato da militari statunitensi e da giovani napoletani, non è affatto sicuro.

Neppure in quel momento che gli ultimi raggi del sole sfioravano i rami più alti dei lecci, delle palme, delle araucarie, indorando pallidamente le statue e i busti decapitati, mostrava un aspetto sicuro. Via via che se ne accostava l'ultimo limite, quel giardino diveniva più cupo. A un tratto, vidi questo. Cinque ragazzi di età indefinibile erano seduti su un muretto, aspettando con volti assolutamente inespressivi che la vettura passasse. Quando questa fu alla loro altezza, uno di loro si alzò in piedi, e rapidamente, imitato dagli altri, si sbottonò il davanti dei calzoni. Poi, tenendo il sesso tra le dita, come un fiore, si misero a correre sul muro, tentando di seguire il tram, con richiami striduli, dolenti, appassionati, che volevano attrarre la nostra attenzione su tutto quanto essi possedevano.

Non una delle persone ch'erano sedute da quel lato della vettura, e avevano visto, discusse la cosa, e neppure sorrise. Il conducente, che si era alzato un momento in piedi, temendo di mettere sotto qualcuno, tornò a sedersi, sospirando di noia, e affrettò l'andatura, così che presto i cinque infelici disparvero.

Ma ne apparivano degli altri, sempre con le stesse facce pallide e intente, e si temeva di capire i motivi di quella malata intensità. Due avevano impiccato una bestiola a un ramo, altri erano intenti a trafiggere una farfalla. Qualcuno orinava qua e là. Non avevano occupazioni ragionevoli. Una pazzìa tenera li sollevava. C'era perfino chi levava qualche breve inno alla Vergine.

La donna senza naso mi guardava ora quietamente, e guardava la strada, e guardando me e la strada insieme, doveva aver pensato qualche cosa intorno a quello che io potevo pensare, perché il sorriso con cui aveva accennato ai festeggiamenti era scomparso, per lasciar posto a un breve scintillìo sospettoso, raccolto. Infine, mi accorsi che essa aveva smesso di pensare, e guardava attentamente nel centro del mio volto. In questo guardare, essa non metteva alcun pensiero, eppure la sua intensità e curiosità mi causavano un vero malessere. Anche l'uomo, ora, guardava nel mezzo del mio volto, poi guardava le mie mani, i piedi. Non poteva suscitare nessuna collera, perché sembrava moribondo, e tuttavia procurava un certo fastidio. Così non aspettai l'ultima fermata, scesi nella Piazza Principe di Napoli. La vettura riprese a correre senza di me, e per un poco, aspettando di attraversare, vidi ancora quelle due macchie — macchie di cristiani, appoggiate ai vetri — seguirmi con lo sguardo, meccanicamente, pensierose.

La casa del Compagnone era in Viale Elena, la seconda delle tre strade che partono da Piazza Principe di Napoli, e sono: Via Caracciolo (proseguimento), Viale Regina Elena e la forbice Via Mergellina-Piedigrotta. Mentre la Via Piedigrotta piega verso quella Piazza Piedigrotta, dove sorge la Chiesa omonima, sede degli annuali festeggiamenti, l'altro gruppo sfocia in Piazza Sannazzaro, vicino alla nota darsena di Mergellina. Da questo porticciuolo, chiamato in origine Mergoglino, sempre pieno di barche colorate, immerso in una luce e un silenzio superiori ai colori, ai gridi, al tonfo dei remi che fendono l'acqua chiarissima, parte la Via Nuova di Posillipo, che segue tutta la collina. E qui si può dire finisca la Napoli plebea (ch'è tutta Napoli) e cominci quella sezione civile e borghese, che per dimora non usa case o casupole, ma solo ville circondate da grandi e scuri giardini, con spiaggia propria. In realtà, la divisione non è così netta, trovandosi dovunque, per Napoli, palazzi bellissimi,

cinti da folti giardini, con saloni e scale di marmo, oltre
i quali non è possibile immaginare l'oscurità e il fetore
dei vicoli. Dove però, in Napoli, le zone di bellezza e di
gioia sono isole, a cominciare da Viale Elena, isole, o
eccezioni, sono la bruttezza e lo stento. Cominciano da
Mergellina, poi, quelle alte pareti di tufo giallo, alte
come il più alto dei cieli, dove si annidano le tombe di
Leopardi e Virgilio, e che difendono i giardini di Posillipo da quei Campi Flegrei, che continuano dietro l'altro
versante, disseminati di vulcani spenti e di zolfatare,
intorno ai centri abitati o fatti deserti, di Bagnoli, Poz-
zuoli e Cuma.

Il Compagnone abitava in Viale Elena da varî anni,
e non ricordo se ne fosse mai compiaciuto. Lo disgustava
soprattutto, poiché occupava un ammezzato, la vista
della gente che gli appariva mentre stava seduto al suo
tavolo, certe facce lerce provenienti dalla vicina Mergellina, che altamente contrastavano con la dignità della
zona, e il sentire quasi ogni sera gli spari in onore di
questo o quel patrono, e vedere sul terrazzino cadere i
fuochi. Ma, in seguito, non vi aveva fatto più tanto caso.
Era un giovane alto, distinto, con una piccola testa dai
lineamenti classici, coperta di capelli castani. Gli occhi,
dal taglio delicato, erano di un azzurro purissimo, velati
da lunghe ciglia. Ugualmente delicati, e si può dire greci
nella fattura, erano il naso e la bocca dalle labbra fine-
mente unite, e solo di quando in quando piegate all'angolo da un sorriso torbido. Vi era qualcosa, in quel
volto, tra l'estrema gioventù e la vecchiaia, e, da anni,
si era fatta sempre più evidente una lotta tra certa no-
biltà e gentilezza ch'erano in lui, e una disperazione e
perfidia che erano ugualmente in lui, e poco alla volta,
specialmente per chi lo rivedeva dopo un po' di tempo,
quella parte inferiore di lui, come un male nascosto, era
avanzata. Non di molto, e si poteva anche non avve-
dersene.

Attraversai la Piazza Principe di Napoli ed entrai in

Via Mergellina, pensando di raggiungere Viale Elena da Via Galiani, che taglia queste due parallele, e passa proprio davanti alla casa del Compagnone. Ero a pochi passi dal Caffè Fontana, quando mi parve di vederlo. Veniva avanti dal marciapiede opposto, con la sua andatura un po' stanca di claudicante, senza fretta. Il viso era leggermente pallido, come di chi ha freddo, e gli occhi guardavano intorno senza gioia, anzi con una rabbia muta, greve. Stavo per salutarlo, quando mi accorsi di averlo soltanto *ricordato*.

Mi accorsi anche di un'altra cosa: che la tranquillità con cui mi ero disposta a recarmi dal Compagnone, quasi fosse, come finora lo avevo pensato, un semplice funzionario della Radio, quella tranquillità era sparita. Esitai, prima di entrare in Via Galiani, quasi che il suolo sotto i miei piedi si muovesse leggermente. Anche le case mi parvero leggermente torte, e che qua e là si affacciassero figure inquiete, molto pallide, piene di rassegnazione e di collera.

Fatti, in tale stato d'animo, tra stupito e oppresso, pochi passi, scorsi subito, in fondo, l'asfalto di Viale Elena, poi il proseguimento della Via Galiani, poi ancora l'asfalto di Via Caracciolo, illuminato dal chiarore celeste del mare. La casa del funzionario era situata su quell'ultimo tratto della Via Galiani, in un palazzo d'angolo tra questa e Viale Elena. Vidi il cancello e il terrazzino dell'ammezzato. Il cancello era accostato, come sempre, e il terrazzino deserto. Avrei potuto entrare dall'ingresso principale, ma preferii obbedire a una vecchia abitudine che, negli anni passati, mi conduceva alla casa del Compagnone solo dal lato del cancello, dove quasi tutte le sere, e anche a notte alta, era possibile vedere il salottino illuminato, il funzionario seduto in un angolo, con la sua aria disfatta e mordace, e intorno i giovani amici di lui. Questa volta non mi sbagliavo, il salottino era completamente spento, perché dai vetri della porta non trapelava il benché minimo filo di luce, e, solo, si distinguevano vagamente le forme dei mobili. Anche il balcone dell'attiguo terrazzino era chiuso e, alle cordelle sottili tese tra due muri, non dondolava né un fazzoletto né un calzino, dal che ne dedussi che anche la giovane Anita, moglie del Compagnone, era uscita col bambino. Tuttavia, spinto il cancello, e superati pochi scalini, appoggiai il dito sul bottone di porcellana infisso nel muro, e rimasi in attesa, vagamente impensierita, che qualcuno rispondesse. Non sentivo nessuna vibrazione, perché quel campanello ha un meccanismo particolare, e il suo suono è avvertito solo in fondo alla casa, e pensando di vedere spuntare a un tratto la magra figura del giovane, accostai il viso ai vetri.

Poco dopo, abituandosi l'occhio a quella oscurità, la stanza mi fu chiara in tutti i suoi particolari.

Era un comune salotto borghese, pieno di mobili vecchi ma scrupolosamente puliti. Quattro porte, compresa quella sulla strada, sembravano disegnate più che incise su quei pallidi muri. Una, sulla parete di fondo, era quella che comunicava col corridoio e la cucina, dove spesso la famiglia del funzionario s'intratteneva; un'altra, a sinistra, divideva la casa del Compagnone da un appartamento attiguo, e questa era sbarrata; la terza, sulla destra, immetteva nella stanza dei coniugi, e neppure da questa trapelava luce.

Proprio vicino alla porta di strada, sporgeva l'angolo di un grosso tavolo, coperto da un tappeto di lana grigia; sopra, in una confusione che, in qualche modo, non era più quella dei primi anni, stavano ammonticchiati certi libri, si vedevano allineati esigui fasci di carte, ed era visibile il fianco di una macchina da scrivere chiusa nella sua custodia.

Sulla parete di destra, sotto una lunga stampa grigia, raffigurante il Ratto delle Sabine, era appoggiato un divanetto vecchio e scomodo, coperto di una stoffa rossa, lacerata in più punti. Di fronte al divano, sulla parete opposta, una consolle di marmo bianco, guarnita di una specchiera dorata, continuava la linea del grosso tavolo. Sulla consolle, un orologio di bronzo, con degli amorini, non segnava più alcun tempo; la lancetta si era spezzata. Sia ai lati del divanetto, che della consolle, quattro medaglioni di terracotta, raffiguranti una testa di selvaggio del Nord America, a grandezza naturale, fortemente colorata, avevano sguardi fissi, gelidi. Infine, tutto era gelido, in quella stanza. Non un tappeto, né un fiore, né una luce, né un quadro rivelavano qualche compiacenza del padrone di vivere in quella casa, e comunque di vivere: il senso, era una quiete rarefatta, profonda.

Continuavo a premere il dito sul bottone di porcellana, da cui non proveniva nessun suono, e a fissare turbata, intenta, la vecchia stanza.

Nella prima parte di essa, e precisamente intorno al divano, mi pareva scorgere delle figure, e avrei creduto udire il suono di voci familiari. Quella risata singolarmente lenta e agghiacciante, dove un pensieroso bambino si mescolava a un automa, era di Giovanni Gaedkens. Il ragazzo, in divisa alleata (acquistata alla Sanità per cinquecento lire), seduto nel centro del sofà, così reagiva alla lettura di uno *sketch* di Luigi Compagnone. Questi, con le sue lunghe gambe ancora sane, distese, in un atteggiamento felice, tra le sedie occupate dagli amici, sedeva accanto al Gaedkens, e ora leggeva, con un certa maligna grazia, ora pensieroso osservava. Accanto al Gaedkens, era anche il figlio del colonnello Prunas, piccolo di statura quanto una bambina, e stranamente silenzioso, immobile. Intorno al tavolo, ecco Lorenza, moglie del Gaedkens, piccola, grassa, coi capelli tirati e gli occhiali; Anita, moglie del Compagnone, dalla figura slanciata e sbiadita, il volto mite e freddo delle colline al tempo delle nebbie. Queste figure si trattenevano per qualche istante in quell'ambiente, con tutta la precisione e gli inganni ineffabili di una realtà; poi, come i numeri nel quadretto bianco di un tassametro, venivano sostituite, senza che aveste veduto *come*, da altre ugualmente giovani, seppure non così intense.

Quel ragazzo altissimo, dalla piccola testa d'uccello, e il profilo da una parte infantile, dall'altra vecchissimo, è l'avvocato Giuseppe Lecaldano, anch'egli occupato alla Radio, devoto amico di Luigi e fervente ammiratore della dottrina marxista; l'uomo bruno, dall'aspetto dimesso, che siede al suo fianco, è l'operaio specializzato Alfredo Barra, comunista, che vide con gioia i primi passi di Luigi nella vita delle federazioni, e anche ora che il giovane si rifiuta, lo segue come un caro morto; quell'incrocio, poi, tra la serenità di Fidia e la depressione di Sartre, quelle belle labbra, quei begli occhi, quello sguardo freddo, quella fronte perfetta, adombrata da ciocche di pallido bronzo, quell'euforia e quell'angoscia, appartengono al giovane sindacalista Aldo Cotronei, che già una volta tentò il suicidio, e ora si aggrappa di nuovo al Partito, per non morire. Quale malinconia, tenero ricordo di una bellezza che non può ripetersi, sospetto della grandiosità della vita, vela quei puri lineamenti, e schiude in un triste sorriso le labbra avvezze a ripetere dure formule. Anche a queste persone, il Compagnone leggeva degli *sketch* radiofonici, poi, nauseato, le osservava.

Dissolte anche queste figure di marxisti, e con esse le voci un po' monotone e fisse di chi agisce in sogno, la stanza si popolava delle più squisite figurine napoletane degli anni '45-50, e vi si potevano riconoscere note personalità intellettuali del luogo, da Guido Mannaiuolo, proprietario del « Blu di Prussia », piccola galleria d'arte moderna, a Gino Capriolo, di Radio Napoli; da John Slingher, poeta anglo-napoletano, alla signora Etta Comito, redattrice della terza pagina del « Corriere di Napoli »; da Samy Fayad, giovane venezuelano, a Franco,

Gino e Antonio Grassi, rispettivamente figli e fratello di Ernesto, il decano dei giornalisti napoletani; e tutte insieme, queste persone ascoltavano anche loro gli *sketch* del Compagnone, senza avvertire il ribrezzo e l'insulto ch'erano nella sua voce quasi femminile. Svanite queste figurette, ecco farsi un nero, e in quell'oscurità illuminarsi certi contorni quasi tragici: il pingue e delicato Prisco, ragazzo perfettamente educato, l'inquieto La Capria, il chiassoso e pallido Rea, gli scrittori comunisti Incoronato e Pratolini, dagli sguardi freddi e immaturi. Davanti a questi, il Compagnone non leggeva più: preso da un fitto, impercettibile tremito, lasciava che i fogli pieni di spiritose battute gli scivolassero dalle mani, abbassava sul petto, invaso da un misterioso terrore, il suo mento aguzzo di vecchio.

Storia del funzionario Luigi

Mi ricordai così che anche il Compagnone scriveva, o almeno si era illuso di farlo, e solo ultimamente aveva finito per dedicarsi agli *sketch*. Mi ricordai altre cose. Il motivo per cui ero arrivata fin là — ottenere alcune informazioni e indiscrezioni sui giovani scrittori napoletani — era sparito per lasciar posto a un interesse più profondo, dal quale non era escluso un certo imprecisato spavento. Nella mia mente, era come se in una vasta casa dimenticata qualcuno passasse di corsa, alzando una lanterna. Dovevo convenire che Luigi non era stato soltanto un funzionario, e nemmeno del tutto un napoletano, così come quelli che aveva avuto intorno, e la stessa cupa strada che io avevo percorso poco prima in tram, non erano soltanto Napoli, cioè incoscienza e colore, non erano solo un'ondata di antichità, ma anche le cose giovani che scorrono, con molta angoscia, al disotto dell'antichità.

Non era stato un giovane come tanti, benché, come

tanti, scrivesse, e la sua produzione fosse contenuta negli schemi soliti, poesie, articoli, racconti e qualche pagina di romanzo. Adesso non faceva più nulla, ma vi era stato un tempo, subito dopo il '45, a Napoli, ch'egli era stato al centro della pubblica attenzione, riconoscendo tutti nella sua prosa agile e sfrontata, nello scherno e l'ira di cui erano irti i suoi scritti, il segno di una Napoli diversa da quella che finora ci avevano rappresentata classici antichi e moderni, non più ridente e incantata, o tamburreggiante e grottesca, ma livida come una donna da trivio sorpresa da un subitaneo apparire della ragione. Non solo quella brutta poesia ch'egli pubblicò in « Sud: giornale di cultura », fondato e diretto dal ragazzo Prunas:

Questa è la mia città senza grazia

cosa che non aveva detto alcuno, dal principio dei tempi, parlando di Napoli, su cui pesava la favola di una felicità enorme, ma anche racconti e articoli pubblicati un po' dappertutto recavano il segno di questa coscienza, un barlume, s'intende, ma bastevole ad accendere la speranza. In quel tempo, il Compagnone era comunista, come del resto tutta la più tenera gioventù di Napoli, affinatasi nelle cellule segrete del Guf. Era corso subito a iscriversi in quella squallida sede di Via Galiani, una volta partiti i tedeschi, con la scrupolosità del cittadino che, rasa al suolo la città, ma ammutolite finalmente le batterie nemiche, s'avvicina a quei pozzi che spera non infetti, per ricominciare la vita. A momenti dava persino noia col suo entusiasmo, ma non poteva non intenerire; e durando e diffondendosi la fama di quella sua intelligenza, di quel suo ridere così disperato, pieno di un tremito di cieli infranti, la sua casa fu presto come una guarnigione, in stretta comunicazione con quella del ragazzo Prunas, posta nella roccaforte della « Nunziatella », dove il padre del Prunas dirigeva quell'antica scuola militare. Intorno, Napoli era quello ch'è noto, una colata lavica di pus e di dollari, l'Americano aveva sostituito il Borbone, e bastava sentire dire *ochei*, perché dalla Vicaria a Posillipo tutti i cuori tremassero, e in queste due case, che in realtà erano una sola, se ne profittava per stendere, forse ingenuamente, ma con un impegno evidente, le prime linee di quella scuola della Ragione, che, altrove, aveva già purificato i paesi, e alla cui mancanza, qui, era dovuto il profondo sonno e la dispersione della coscienza. Si voleva sapere tutto, capire tutto di questa mostruosità che, alla luce degli ultimi fatti, appariva Napoli; rimuovere la lapide finissima che posava sulla sua fossa, e cercare se, in quella decomposizione, rimanesse ancora qualcosa di organico. Si pronunciavano per la prima volta, nella tradizione locale, parole come *sesso* in luogo di *cuore, sifilide* in luogo di *sentimento*, e *ossessione* come *ispirazione*. Si scopriva non esservi un popolo, al mondo, infelice come il napoletano, e infelice perché malato; si cercavano le cause di questa malattia, definivano i *modi* di questa infelicità, e smontando senz'altro il mito dell'allegria, e ravvisando in quelle esistenze, in quei canti, una convulsa desolazione, il lamento dell'uomo perduto nell'incanto e l'incoscienza della natura, dominato e succhiato continuamente da questa madre gelosa; incapace ormai di coordinare i propri pensieri, comandare ai nervi, e muovere un solo passo meno che barcollante; prendere viva parte alla storia dell'uomo, anziché esserne continuamente oppresso e umiliato: se ne indicavano le conseguenze e studiavano i sistemi per liberarlo da una schiavitù così grave. Fin dal primo momento, era stato chiaro che la cultura, intesa come conoscenza e quindi coscienza, specchio dove fissare la propria immagine, fosse il più indispensabile. Bisognava rimuovere dall'opinione pubblica il mito terribile del sentimento, chiarendo tutte le alterazioni e deformazioni cui esso aveva condotto l'odierna società partenopea; sottrarre alla sua vista, finché le condizioni generali non fossero migliorate, i cieli di Di Giacomo e Palizzi, proponendo e magari imponendo le manifestazioni di un'arte arida e disperata. Su questo, spiriti profondamente liberali, anche se, taluni, devoti alla fede marxista (ma non bisogna dimenticare che il comunismo, a Napoli, in quegli anni, era un liberalismo di emergenza), come il Compagnone, il Prunas, il Gaedkens, il La Capria, il Giglio, il Ghirelli e altri, erano d'accordo con veri e propri militanti, esseri intellettualmente inferiori, e incapaci di una indipendenza laica, aggrappati all'idea di uno Stato Universale, che avrebbe dovuto sostituire le diverse Chiese nella reggenza dei popoli. Ma l'ansia di acquistare nuovi aderenti, e anche certo slancio e generosità propri degli uomini che hanno sofferto a lungo la solitudine, portava questi funzionari a stringere la mano a quei rivoltosi, con un sorriso e un silenzio che, da quelli, venivano interpretati come vera e profonda simpatia. E ciascuno dalle sue barricate, questi funzionari dalla redazione della « Voce », e quei giovanetti dalle stanze di « Sud », ch'erano in Viale Elena e dietro il cortile della « Nunziatella », parvero quindi, per qualche tempo, lavorare a un medesimo scopo, anche se con mezzi e linguaggi diversi.

Il Prunas aveva stampato, o si preparava a stampare su quel giornaletto di sua proprietà, che uscì in sette numeri, ognuno dei quali fu un'avventura, e costò vendite clandestine di oggetti familiari, o pegni, o cambiali, e spesso collette fra i redattori più fortunati, il primo saggio in Italia sulla poesia inglese contemporanea; il primo saggio di Sartre sull'Esistenzialismo; le prime pagine di *Cronaca famigliare*, di Pratolini; l'atroce *Cronaca di Napoli*, del Compagnone; certe poesie moderne e allucinate del Gaedkens, ch'era un italo-tedesco; e segnalando ora questo o quel nome, scavando o facendo scavare dai suoi compagni in questo o quel fatto, stato d'animo, ambiente, si batteva per un ritorno della coscienza, un aprirsi della letteratura verso la cronaca, dove, secondo lui, era rifugiata la vita; una demolizione di quei miti, quelle sovrastrutture, quelle gassose aureole che, con l'andar del tempo, si accumulano intorno a una società sformandola. Napoli era piena di questi spettri, che occupavano i maggiori posti della vita pubblica, mantenendo nel terrore, nei lamenti, in un vizio informe, occulto, gli strati meno responsabili della popolazione.

Occorre dire qui che il Prunas non era napoletano. Di nobile famiglia sarda (alla morte del padre, avrebbe ereditato il titolo di conte), aveva concepito per Napoli un interesse enorme, la cui caratteristica stava nell'essere puro del benché minimo fatto personale o ambizione politica. Dove in fondo alla passione (quando lo era) degli altri, giocava sempre l'inquietudine del figlio che, al letto della madre morente, scorge i fratelli e pensa segretamente alle disposizioni testamentarie, e infine non può fare a meno di fantasticare intorno alle cose e ai diritti che gli toccheranno, il Prunas, con la sua aria appassionata e tetra, si arrovellava e struggeva pensando cosa si poteva fare per questa grande ammalata, che pure gli era estranea. Vestito come un impiegatuccio, senza mai una lira in tasca (i genitori non sapevano in qual modo costringerlo a prendersi la laurea e rientrare nel numero delle persone dabbene), pure non tralasciava occasione per dichiarare il suo rispetto alla città, ridotta com'era, e affermare che la liberazione non doveva risolversi in un nuovo sistema di catene. L'indipendenza della cultura proclamata indispensabile, il diritto della cultura a sorvegliare lo stato, qualsiasi stato, a contenerlo invece che esserne contenuta, gli parevano un luogo comune, per la loro chiarezza, e tuttavia non ometteva mai di parlarne. Tale ingenuità (non che gli altri non fossero d'accordo, anzi! ma gli pareva in genere prematuro), cominciò a irritare e disporre a qualche ironia gli animi. Non solo alla « Voce » si cominciò a dire del ragazzo, nel caso migliore, ch'egli era un'altra vittima della irresponsabilità e leggerezza di ieri, e che rivelava con quell'assioma la cattiva educazione ricevuta; ma anche il cerchio degli amici, quegli stessi che avevano formato la redazione, cominciava a slargarsi, e nel silenzio e la malavoglia sopravvenuta manifestare uno stupore, non so che deluso scontento. Ora, le discussioni lasciavano il posto alle conversazioni; la politica diventava un motivo per ritornare sul problema di un impiego; le preoccupazioni di una carriera o solo una modesta sistemazione personale, si alternavano in una proporzione sempre più forte ai problemi e all'avvenire del giornale, e l'indipendenza della cultura, l'ansioso credo del Prunas, le sue appassionate argomentazioni, cadevano in una piazza sempre meno popolata e sicura. La vista di un'*Alfa* che finiva di bruciare e puzzare sotto una sedia, ricordando crudelmente la precarietà della loro situazione, era capace di scatenare in quei cervelli un silenzio forte fino alle lacrime, una voglia irragionevole di attività e pensieri diversi, dove i sacrifici del pensare venissero largamente compensati. Dove il ragazzo sardo sostituiva al conforto degli oggetti la sua avvilita passione, quei napoletani non potevano che soffrire orribilmente, e maturare un addio alla loro giovinezza, che certo gli costava, ma non era meno indispensabile.

In verità, le enormi rese di « Sud », che giacevano ammonticchiate sotto e intorno al letto del ragazzo, nella oscura stanzetta in cui i suoi genitori lo avevano relegato; la pioggia delle cambiali protestate, che da leggera e autunnale si fece scrosciante e furiosa come nel più fosco inverno; le chiacchiere della « Voce », che gli venivano riportate; il malumore della famiglia, alimentato dai soavi consigli del confessore; qualche lettera di un barone di Catanzaro, « che avendo sfogliato la *rivista sovietica*, esprimeva la sua nausea », erano, anche per l'animo più ottimista, tutti i segni indubitabili di una disfatta.

Come da una spiaggia, sul finire della tempesta, si ritirano le nobili onde del mare, che più la percossero, e solo rimangono al suolo, e brillano tra la rena, conchiglie, alghe e rottami, così si allontanarono dalle stanzucce della « Nunziatella » certi nomi e volti che più avevano brillato, lasciandone a terra altri che non avevano certo il loro splendore. Raffaele La Capria, che per un attimo, col suo « Cristo sepolto », era parso esprimere una generosa inquietudine della borghesia, si rinchiuse nelle grotte di Palazzo Donn'Anna, dove i suoi avevano un comodissimo alloggio, e là riprese a corrispondere con certi Inglesi che amava, meditando la fuga a Roma, che effettuò dopo qualche anno, e rinsaldando la sua furiosa passione per Proust e Gide, da cui doveva nascere infine *Un giorno d'impazienza*. I marxisti dalle tenere sfumature liberali, Giglio e Ghirelli, rientrarono definitivamente nelle sedi che già si erano scelte per una silenziosa carriera, il primo a Milano e l'altro a Roma. Giovanni Gaedkens meditava Milano, ma inchiodato a Napoli dalla sua miseria (nella vita era un maestro supplente), tornava ogni giorno alla « Nunziatella », per discutere col Prunas astratti programmi editoriali. Giovani di più modesta e cordiale statura, come i tre fratelli Grassi e il cronista Mastrostefano, trovarono senza difficoltà ottimi impieghi nella stampa locale, e se tornarono ancora alla vecchia redazione fu per solleticare nel Prunas qualche dolorosa ammirazione. Fedeli, rimasero in qualche modo certi pittori, tale Vincenzo Montefusco, un ragazzo quasi scalzo, sempre taciturno e solo, e Lippi Raffaele, figlio di un carabiniere, che nella sua casa al Vasto (il quartiere più grigio di Napoli), dipingeva gatti morti e macerie.

In quanto a Luigi Compagnone, la sua reazione fu singolare.

Esiste, nelle estreme e più lucenti terre del Sud, un ministero nascosto per la difesa della natura dalla ragione; un genio materno, d'illimitata potenza, alla cui cura gelosa e perpetua è affidato il sonno in cui dormono quelle popolazioni. Se solo un attimo quella difesa si allentasse, se le voci dolci e fredde della ragione umana potessero penetrare quella natura, essa ne rimarrebbe fulminata. A questa incompatibilità di due forze ugualmente grandi e non affatto conciliabili, come pensano gli ottimisti, a questa spaventosa quanto segreta difesa di un territorio — la vaga natura coi suoi canti, i suoi dolori, la sua sorda innocenza — e non a un accanirsi della storia, che qui è più che altro « regolata », sono dovute le condizioni di questa terra, e la fine miseranda che vi fa, ogni volta che organizza una spedizione o invia i suoi guastatori più arditi, la ragione dell'uomo. Qui, il pensiero non può essere che servo della natura, suo contemplatore in qualsiasi libro o nell'arte. Se appena accenna un qualche sviluppo critico, o manifesta qualche tendenza a correggere la celeste conformazione di queste terre, a vedere nel mare soltanto acqua, nei vulcani altri composti chimici, nell'uomo delle viscere, è ucciso.

Buona parte di questa natura, di questo genio materno e conservatore, occupa la stessa specie dell'uomo, e la tiene oppressa nel sonno; e giorno e notte veglia il suo sonno, attenta che esso non si affini; straziata dai lamenti che la chiusa coscienza del figlio leva di quando in quando, ma pronta a soffocare il dormiente se esso mostri di muoversi, e accenni sguardi e parole che non siano precisamente quelle di un sonnambulo. Alla immobilità di queste regioni sono state attribuite altre cause, ma ciò non ha rapporti col vero. È la natura che regola la vita e organizza i dolori di queste regioni. Il disastro economico non ha altra causa. Il moltiplicarsi dei re, dei viceré, la muraglia interminabile dei preti, l'infittirsi delle chiese come dei parchi di divertimento, e poi degli squallidi ospedali, delle inerti prigioni, non ha un diverso motivo. È qui, dove si è rifugiata l'antica natura, già madre di estasi, che la ragione dell'uomo, quanto in essa vi è di pericoloso pel regno di lei, deve morire.

Quel Compagnone era, come molti di noi, nato nei vichi di Napoli, dove la natura infuria, e tutta la ragione dell'uomo è nel sesso, la coscienza nella fame. Ancora giovanetto, e bello e vivace come un antico dio, a tutto questo si era ribellato. A modo di una perfetta incubatrice, il Fascismo aveva scaldato e favorito, con la sua, altre ribellioni; e nella umiliazione della guerra si era poi scoperto marxista, cioè uomo nuovo, e per un attimo, insieme agli altri, aveva pianto le lacrime dolcissime di chi si riconosce salvo. Apparso a tutti, nel suo freddo entusiasmo, il vero rivoluzionario, avevamo creduto che, vinta la materna natura, egli potesse ormai dirsi al sicuro nel territorio della logica.

Alla caduta di « Sud », il suo dolore fu sincero e la sua commozione veramente bella, come davanti alla morte di persona profondamente cara. Ma, come avviene in certi funerali, che mentre il carro procede per le strade i più devoti amici del defunto si distraggono, e quello si aggiusta il fazzoletto nel taschino, questo guarda un negozio, un altro chiacchiera, e un altro ancora sbircia l'orologio per vedere l'ora; certa distrazione e fatuità apparvero ben presto anche nei modi e l'intelligente viso del Compagnone. Il quale continuò ad accogliere i superstiti membri del gruppo Sud, primissimo il pallido e silenzioso ragazzo sardo, e a compiangere l'immatura fine del giornale, ma ora non poteva nascondere un'eccitazione, una gioia ch'erano, sembrerà strano, in diretto rapporto con quella disfatta. In parole più semplici, l'antica natura che, per qualche tempo, aveva sopportato nel giovane un'attività rivoluzionaria, e sofferto gli strazi di una madre cui il figlio si rivolti, riprendeva adesso, con cautele infinite, frenando la stessa esultanza, il dominio di lui. Fu essa a presentare al marxista partenopeo uno specchietto di eccellente fattura, in cui la storia del gruppo Sud, anziché rivelare, impercettibile e spaventoso, il combattimento tra le esigenze della ragione e l'antichità, appariva, come in uno dei tanti spettacoli di varietà cari all'Ottocento, l'ingenuo conflitto tra i sogni della gioventù e la soverchiante logica delle cose. Ivi, i termini erano capovolti. Si attribuiva alla natura la sola ragione possibile, e collocava il disobbediente pensiero tra le decorative ed effimere bellezze di questa terra, come ad eterni rami pendule pere e mele. Nasceva nel Compagnone, come conseguenza della sua nuova soggezione al mistero partenopeo, la necessità di rivedere per quanto possibile il suo e nostro passato, esaminando tutto quanto gli apparisse contaminato da quella oscura e nuova smania di essere, ch'egli giudicava follìa. Ritrovando alla base di tutti i nostri rapporti quel Guf di Largo Ferrandina, ch'era stato semplicemente un'occasione, gli parve che il suo scopo fosse raggiunto, e riconobbe in noi e in se stesso la Vecchia Generazione. Addentrandosi nella sua analisi, scoprì ch'eravamo inutili. Come nelle grotte del Lete gli apparvero le nostre vite: svolazzo di anime, inquiete larve, sulle acque profonde della Natura. Vide in Napoli ciò che è, in noi il contrario. In quanto ai suoi rapporti col Partito, rimasero apparentemente intatti, ma anche quelli, all'interno, franavano. Gli piaceva nel Partito quel tanto di sfatto e di colorato, che la dottrina marxista aveva preso a contatto delle nostre regioni, ma tremava di vederlo terminare nella grande cupola di una nuova chiesa, moderna cattedrale, ove i napoletani non sarebbero più stati napoletani, e non avrebbero adorato i loro vizi, ma le virtù. Si determinò una situazione assurda, in cui il vecchio rivoluzionario, seduto al centro della reazione, e chiamati a raccolta funzionari e ribelli, si mise a insultare tutti, e quelli abbassavano la testa, e piangevano. Comunisti o liberali, eravamo pur sempre comunisti e liberali di Napoli, e lo amavamo troppo per non vedere nei suoi insulti altro che la furia e la malinconia del mare. Inoltre, tarati, deboli, eravamo veramente tutti. Egli ci diceva i nostri vizi, uno per uno, le nostre piaghe. Quello si era suicidato, questo stava per farlo, quello rubava, questo era derubato. Egli era veramente come la nostra terra, la nostra madre comune, la città che avevamo voluto vincere, e ci ricordava le nostre debolezze e vergogne, affinché mai più osassimo levarci contro di lei. Egli era questo, ed era anche il figlio di lei, di questa terra, che così facendo rinunciava per sempre a se stesso.

Sulla terza pagina dei giornali locali, e poi della rivista « Il Borghese », questi gridi divennero sempre più fitti e striduli. Nessuno fu risparmiato. Egli obbediva contemporaneamente a due esigenze: quella di distruggere le nostre anime, e la sua che aveva ferito le nostre. Egli attaccò vecchie e nuove religioni. La sua stessa famiglia, e i giovani della « Voce ». La Radio, come ministero, e ciò che era contro la Radio. Denunciò una pazzìa e una inintelligenza generale, ma senza cordoglio, senza speranza di una resurrezione, anzi compiacendosi di ciò che appariva silenzio, monotonia, morte, fine della ragione.

In questa passione si consumava. Egli l'affinava, e si sforzava di renderla sempre più attraente e bella, con lunghi e diligenti studi. Voltaire e Flaubert erano divenuti i suoi idoli, cui chiedeva sempre nuovi mezzi per portare questa smania di offesa sul piano dell'arte. Ma accadde che la città, quegli ambienti antichi e moderni ch'egli aveva desiderato lacerare, si abituarono anche a questo fenomeno, e i nemici ch'egli aveva sperato vennero meno. Subentrava invece una certa noia, che a un tratto lo turbò più di quanto non avessero fatto prima le lacrime o l'ira. Avvertiva in certi sorrisi indulgenti e affettuosi di persone che aveva inteso torturare, l'abitudine a tutto, l'antica impassibilità all'ingiuria e al dolore, che formano l'essenza di Napoli, e di conseguenza l'inutilità d'ingiuriare o ferire. Provò la medesima paura di chi si è gettato contro un fantoccio che ballava appeso a un albero, e improvvisamente scopre che non è un fantoccio, ma un giustiziato; e avverte qualcosa anche intorno al suo collo, e si accorge che lui stesso pende dal ramo di un albero. Continuò a ridere, ma in un tono falso.

In quel tempo, giocando a palla con alcuni amici, nel cortile di casa, si era fatto male a un ginocchio. La cosa parve non avere importanza, ma ecco, pochi mesi appresso, parlarsi di sinovite. Fu ingessato. La gamba rimase più corta, appena quel tanto che serviva a squilibrare la giovane figura, e procurargli un'inquietudine profonda. Si manifestò anche un principio d'artrite, che, in breve, cominciò in qualche modo a venire avanti nelle mani, mutandone lievemente il contorno. E Luigi a guardarsi le mani, e ora non pensava più ad altro. Anche con gli amici, fossero politici o letterati, non parlava d'altro, e chi era immerso in cose estranee alla salute ed educazione fisica, l'odiava. Gli rinacque per il Partito un genere d'interesse superficiale, che destò molte speranze in federazione, ma passò com'era venuto. Come, in quel periodo, egli sembrava aver perduto ogni elegante controllo e misura, non esitò a buttarsi in una appassionata lettura dei Vangeli, e la sera, quegli amici marxisti o liberali che venivano a visitarlo, lo trovavano avvolto in un grande scialle da donna, con in viso il ribrezzo della febbre, e due occhi incantati e febbrili di bambino, e dovevano ascoltare questo o quel brano del Discorso della Montagna, e non so quanti versetti di S. Paolo. Si afferrava a quelle antiche tavole, ne sperava salvezza. Una remota preoccupazione della rapidità della vita umana e dell'incalzare della fine, ch'è alla base dell'irrigidimento di Napoli, e le dà quella durezza, quel morto furore, s'era impadronita di lui, e nel Vangelo voleva dimenticare le sue mani. Con lo stabilizzarsi, però, del fatto artritico, passarono quegli immediati terrori e pensieri, e i sacri libri risalirono in una scansia. Non che fosse guarito, ma, sia la primavera, che già appariva sul mare, rendendolo teso e brillante, allungando i giorni e facendo più dolci le notti, sia la vergogna di quei tremori che in lui riportavano a galla il fanciullo, e che adesso era disposto a riconoscere come esagerati, a un tratto il giovane parve mutato; e buttando da parte la sedia che sosteneva la sua gamba malata, cominciò, con l'aiuto di un bastone, a riprendere la via della Radio, ch'era a un altro capo di Napoli, in Corso Umberto I. Quella leggera differenza tra una gamba e l'altra, alterando e rendendo più difficile il suo passo, costringeva il viso a contrazioni ch'egli si sforzava di nascondere, a quella espressione disattenta e triste, che non sarebbe andata più via. Giovinezza era passata, con i suoi furori. Si riconosceva *impiegato*, e in tutti gli italiani, e particolarmente nei napoletani, cercava crudelmente questa verità. I bei marxisti di un tempo, il Lecaldano, Cotronei e Barra, che tuttora, col fervore dei neofiti, frequentavano la buia casa, sperando conquistare quell'anima, lo annoiavano, e i liberali pure, e li ascoltava per ore pensando altro, guardandosi le mani, o torcendosi un dito fino a farlo suonare. Non aveva più gioia di nulla, non aspettava più nulla, e probabilmente nella sua sconcertante esistenza non si sarebbe verificato per anni altro di nuovo, se, proprio durante quella convalescenza, l'astro di Domenico Rea non fosse salito rapidamente, come un rosso pallone, sull'orizzonte notturno di Napoli. Usciva *Gesù, fate luce,* con la prefazione di Flora, e a Napoli non si parlava d'altro.

Quella parte di Luigi che non trovava più cosa a cui aggrapparsi, avendo tutto lacerato, e perciò moriva, fu rapita da quel tanto di furia e forza che era nelle pagine del nocerino, da quel risorto mito della napoletanità, che in quelle pagine erompeva così nudo e vivo. Nello stesso tempo, un silenzio profondo, un'angoscia senza forma né voce, prendevano alloggio nella sua mente. Non era invidia, ma un disprezzo che non gli era più concesso di esprimere, una malinconia furibonda e legata. Egli *doveva* amare Rea, *doveva* onorare Rea, *doveva* salutare in Rea la voce più legittima di Napoli. A tutto questo era giunto in vari anni di una lotta maliziosa e vittoriosa contro quella che aveva bollato col nome di *nullità*, la classe media di Napoli: scalzi ragazzi di « Sud », poveri uomini della « Voce », molti impiegati, gli studenti, l'inquieta folla che, a Napoli, non era più Napoli, e odiava Napoli, non era colore, ma angoscia, e tentativo di pensiero. Il popolo e la natura che, alla fine, egli si era augurati, gli venivano offerti inaspettatamente dal Rea, in un piatto del Trecento, e rifiutarli era impossibile. Come già era accaduto durante il Fascismo, quella sua disperata intelligenza, e una vera facoltà critica, sollecitate da quell'irrompere dell'antichità, desideravano intervenire, prendere una posizione, opporsi, ma i comandi non obbedivano più. Bisognava dunque accettare Rea, constatando ch'era inutile, e insistere nel giuoco che spostava i termini e concedeva al falso tutta l'autorità, destituendo la verità d'ogni diritto. Così si vide quel fragile rivoluzionario, che aveva in sé la natura e l'odio contro la natura, voglio dire l'istinto e la critica, prodigarsi in un'ammirazione entusiasta e livida per il popolano, ch'egli accolse in casa, imponendolo ad ogni altro amico, trascorrendo molti giorni in sua compagnia, e della moglie, e del motoscooter di lui. E chi, vedendo la sua sofferenza, gli diceva: « Bada, Luigi, Rea non è così grande », gli si levava contro col suo bastone, minacciandolo. E si era nuovamente ammalato, nel far questo, era divenuto debole e gracile. In quanto al nocerino, sano come un limone, e molto contento di come gli andava la vita, egli compativa Luigi, perché era di cuore buono, ma lo disprezzava anche, e, se lo accostava, era proprio perché intuiva in lui quella facoltà critica, il cui assenso gli premeva infinitamente. Ma non era l'antico dio, di cui aveva sentito parlare, quello che adesso lo accoglieva in casa, e lo lodava, ma un napoletano come lui. E perciò le conversazioni, i colloqui fra quei due, non erano mai reali e onesti, rimanendone il Rea indispettito e insaziato, e Luigi sempre più nevrotico e pieno di oscuri pensieri.

Questo il ricordo che avevo di Luigi, e adesso, come un'estranea, dopo aver tanto partecipato alla sua vita e, infine, averlo dimenticato, mi trovavo ancora davanti alla porta della sua casa.

Chiaia morta e inquieta

Staccai il dito dal campanello, e la mano dal muro, meravigliandomi di essere stata lì fino a quel momento (molto tempo doveva essere passato, perché il cielo era divenuto verde), e ansiosa di scendere al più presto gli scalini, rifare Via Galiani, e con il primo tram tornare in centro. Contavo anche di rimandare la mia visita a domani, ma nella parte più segreta della mia coscienza c'era il proposito ben determinato di non ritornare in quei luoghi mai più.

Pensiero e movimento morirono però sul nascere. In una specie di silenzio interiore, fatto di contrarietà e attenzione, dovetti constatare che l'ammezzato non era più deserto. Nella penombra di quella stanza c'era adesso un giovane in maniche di camicia, il viso sottile e inchinato, che guardava perplesso verso la porta. Forse stava là da tempo, e io non me ne ero accorta. Non lo avevo visto, ed egli mi aveva riconosciuta e osservata, benché non una linea del suo viso, nulla, assolutamente nulla, esprimesse la minima attenzione e piacere. Mi ricordai che una volta avevamo litigato, ma questo non giustificava una freddezza così mortale, propria di coloro che, piuttosto che fuggire dal mondo, lo vedono rimpicciolire e ritrarsi e, impietriti, non osano levare più neppure un lamento.

Poco dopo, nacque in quel volto un sorriso, più astratto e morto di quello di Chiaia e vidi che, zoppicando, il giovane si accostava alla porta. Aveva in mano una sigaretta, e la buttò nell'atto di aprire.

— Entra pure, — disse continuando a sorridere in *quel modo*, lo sguardo dovunque, meno che dove io ero, e porgendomi la mano sudata. — Scusa se ho la mano sudata. Come stai?

— Io? Bene —. Entrando, avevo avvertito intorno a me l'aria raccapricciata delle cantine e dei cimiteri. — Molto bene, — ripetei turbata.

— Anita dev'essere di là col bambino...

— L'ho supposto, vedendoti entrare... — buttai lì queste parole senza senso. — E tu, come stai?

Mi ero seduta vicino al grosso tavolo, e pensavo che non bisognava guardarlo, perciò gli voltavo le spalle. Non lo vedevo, eppure lo sentivo, ma piuttosto come una assenza che una presenza. Era come se dietro le mie spalle ci fosse una voragine, un vuoto pieno di mani, che battendo l'una sull'altra ne nascesse un rumore desolato, un sospiro senza fine. Per farmi coraggio, guardavo le cose intorno, ma mi riconfermavano quella sensazione sottile di morte, quel punto imprecisabile in cui, nella vita, nasce la sconosciuta dimensione, il silenzio della morte. Solo lo sguardo dei quattro Pellerossa attaccati al muro, adesso era vivo. Ma come stravolto.

Sentendolo passeggiare, e come non aveva risposto alla mia domanda, pensai che la cosa migliore fosse ridurre al minimo le mie vibrazioni, i pensieri; bandire dalla mia stessa mente, o confinarle in un angolo ristrettissimo, quelle voci che, presentando un qualche rapporto con la vita, non potevano che turbarlo. L'avrei calmato provandogli che anche la mia intelligenza era stata, dalle necessità della vita, mortificata e vinta. Dovevo mostrarmi fredda, senza forza né gioia.

— Luigi, — dissi guardando la stampa grigia sul divano, che lo specchio rifletteva compiutamente, guardando nello specchio quelle forme ambigue, — dovrei chiederti delle indicazioni che tu solo puoi darmi. Per questo sono venuta.

— Ah, sì? — disse, — che indicazioni? Ben volentieri. Cose della Radio, m'immagino.

— No, non della Radio.

Mi passò davanti, e andò a sedersi nell'angolo del divano.

— Allora, che cosa?

Senza guardarlo (lo vedevo appena nella specchiera di fronte), gli dissi che avevo intenzione di scrivere qualcosa su quegli scrittori napoletani che anche lui conosceva, e il cui nome era uscito dalle colline di Napoli, e suonava gradito a Milano o Roma. Nello specchio, vidi che il suo volto sudato e sottile trasaliva, e gli occhi si aprivano avidamente, come chi scopre qualcosa di lucente davanti a sé. Ma la sua voce, quando parlò, era assolutamente indifferente e calma.

— Prisco, Rea, naturalmente.

— E anche Incoronato e La Capria.

— Capisco.

— Non ce ne sono altri, mi pare.

— No, non credo.

— È per un settimanale illustrato, — credetti opportuno spiegare, — il pubblico adora volentieri questi nomi. Per quanto ne possiamo vedere la fatuità, questi desideri del pubblico rimangono importanti.

— Lo credo anch'io, — disse.

Mi parve che lo specchio si fosse offuscato. Il giovane funzionario della R.A.I. appariva in quella lastra impercettibilmente impallidito e prostrato, non so come stanco, e lasciando di fissare lo specchio, cautamente mi girai per guardarlo. Benché non fosse possibile, qualcosa, in pochi minuti, era mutato terribilmente nella sua persona. La statua che mi aveva aperto la porta, ora era viva e tremava. Sembrava che ai suoi piedi egli vedesse qualcosa di molto grande. Il volto, con gli azzurri occhi abbassati, spirava nella sua finezza un'attenzione assolutamente eccezionale. Tutto quel bel viso fine e levigato, precocemente invecchiato dalla malignità e dalla noia, adesso era sveglio e pensava. Quel corpo seduto, leggermente sbilanciato e torto dalla infermità, pareva perdere di attimo in attimo la sua fiacchezza e impassibilità, come se stesse per gettarsi contro qualcosa. Egli mostrava una specie di assonnata disperazione. Lo fissavo attenta, pronta a un gesto, una parola che potessero, uscendo da quel malessere, cercare di colpirmi, e intanto domandavo:

— Tu, non scrivi più niente?

— Per ora, no, — rispose in fretta, come svegliandosi.

Si alzò, andò vicino alla porta d'ingresso, rimase qualche momento a guardare attraverso i vetri la Via Galiani, poi tornò indietro. Io mi ero pentita di quella domanda, lo guardavo confusamente.

— Avrai bisogno di notizie... dico notizie precise... dati per il tuo articolo, — disse umanamente.

— Sì, — mormorai, — notizie... dati...

Il suo volto era dolce, buono.

— Allora hai sbagliato... — disse sorridendo, — io non ne ho.

Tornò a sedersi, con una gamba sull'altra, all'estremità del divano. Un bambino che scorge una tigre nella sua stanza, o un ragno enorme sul cavallo a dondolo, ma, per qualche motivo profondo (forse un terrore più grande), *non può* mostrare di aver visto l'oggetto del suo spavento, non si sarebbe comportato in maniera diversa. Anzitutto, egli evitava costantemente di guardarmi, inoltre era inquieto, inoltre era ansioso. Era come se, vedendo in me qualcosa di nemico, ascoltasse voci di campane salire dal pavimento. Eppure, regnava nella stanza una quiete assoluta.

— Luigi, — ripresi dopo qualche momento, fissando il quaderno che avevo sulle ginocchia, fissandolo molto attentamente benché fosse solo un povero quaderno, — potrai darmi almeno qualche notizia sulla tua vita. Ti confesso che le ho quasi dimenticate. Eppure sono importanti. Vorrei parlare anche di te, in questo articolo.

— Ah! — disse.

Poi soggiunse:

— Perché?

E come io non rispondevo:

— Perché mai?

In quel momento la porta si aperse e, vestita di giallo, entrò la giovane moglie del funzionario. Ella non aveva l'aria di chi riceve una sorpresa. Forse mi aveva sentita dalla cucina, e non era venuta subito perché intenta a rigovernare o a dare la cena al bambino. Era vestita di giallo, con un volto di pittura moderna, liscio e senza rilievo, dallo sguardo calmo, privo di sorriso come di pensiero. Fragili capelli, che lasciavano vedere il cranio, le intenerivano l'alta fronte. Entrata per dire qualcosa a Luigi, vedendomi se ne dimenticò, e asciugandosi in fretta le mani che aveva umide nel grembiule, mi si accostò, e: — Come ti trovo bene, — cominciò a dire, — da quando non ti si vede in giro, proprio ieri sera a te pensavo, — fissandomi con i suoi occhi estremamente tranquilli e pallidi. Luigi, al suo apparire, si era rannicchiato in un angolo, senza più parlare, facendo scricchiolare penosamente ora questa ora quella mano.

— Forse vi ho disturbati, — disse la giovane avvertendo il nostro bizzarro silenzio. Pensava e guardava con lentezza. — Luigi, non fare così con le mani, — soggiunse dopo un momento, — lo sai che non posso sopportare queste finzioni.

— Scusami, — disse in fretta il funzionario, e lasciate ricadere le mani, e poi rialzatele, se le guardava con la sua aria ossessa di sempre. — Scusami.

— Vi ho interrotti mentre parlavate... è una cosa importante? — riprese quietamente la signora.

— Affatto... — rispose Luigi, — affatto. Lei, — e

m'indicò con la mano, — dovrebbe scrivere un articolo sugli intellettuali residenti a Napoli, ed è venuta a chiedermi certi suggerimenti... notizie...

— Tu, gliele puoi dare? — chiese la signora avidamente.

— Certo che posso... certo che posso farlo, — rispose il funzionario sorridendo.

Ella non gli badò più.

— E di Luigi parlerai? — disse rivolta a me, con uno sguardo più limpido, ma freddo. Calcolava mentalmente ciò che avrei potuto fare per lui. Nella sua voce sommessa c'era un impercettibile fremito, una domanda. — Non sa farsi valere, — continuò con un principio di agitazione, — del denaro non gli importa, come se non avesse una famiglia. E sì che non scrive peggio di altri. L'altra sera, tu non c'eri, si è messo a leggerci il primo capitolo di un romanzo che ha cominciato nel '44... C'erano qui anche Lecaldano... Barra... L'hanno trovato divertente. Lui, ora, potrebbe terminarlo.

Dalla cucina, sentimmo il bambino strillare:

— Mammina, ahi, mammina!

— Torno subito... Diglielo, intanto, hai capito? — mi raccomandò la giovane uscendo.

Rimasti soli, vidi che Luigi aveva abbassato il capo.

Non mostrava più di ricordarsi di quei suoi disperati « perché... perché mai? » che per un momento lo avevano rianimato. Qualcosa si era frantumato in lui, l'ansia di poco prima si era spezzata, e il silenzio era ritornato a governare la sua memoria. Anche la mia presenza aveva smesso di turbarlo, gli era divenuta perfettamente indifferente. A un tratto si alzò, raggiunse col suo passo di volatile stanco, il vecchio tavolo, rimescolò un poco tra certe carte, poi ne tolse una paginetta su cui doveva aver scritto qualcosa. La mano gli tremava impercettibilmente, come quella di un vecchio, quando, stringendo il foglio, mi domandò se avessi una matita e un quaderno.

— Sono notizie di Rea... le avevo segnate qui per mio uso. Purtroppo, soltanto di Rea. Ma sarai d'accordo anche tu, del resto, che Rea è molto importante, anzi non esistono altri scrittori, a Napoli, fuori di lui...

Non risposi subito; poi, vedendo che aspettava:

— Oh, sì, — dissi, — certamente.

Mi fissò un momento, con ansia; poi cominciò a passeggiare su e giù per la stanza, col suo passo vacillante e frenetico, e intanto dettava. Dettava con la sua voce incredibilmente fredda, meccanica, monotona, eppure trasparente di odio e dolore, quasi ogni parola ribadisse un'antica sentenza di morte, sotto la quale egli stava. E, dettando, ora guardava la carta, ora gettava verso il soffitto degli sguardi profondamente tristi e inquieti. Ecco ciò che trovo segnato sul mio taccuino:

« Notizie in merito allo scrittore Domenico Rea.

« Rea è nato a Nocera Inferiore, l'8 settembre 1921. Ha già scritto tre libri: *Spaccanapoli, Le Formicole rosse, Gesù, fate luce.* In autunno uscirà un altro suo libro, che gli fu richiesto dalla Casa Editrice Fabbri, di Milano. Questa Casa edita di preferenza libri di carattere pedagogico e scolastico. Questo Fabbri, che dirige la Casa, chiese un libro di carattere pedagogico a D. Rea, perché entusiasta di alcuni racconti del Rea che avevano il mondo infantile come personaggio. Rea ha scritto così l'*Anticuore.* Il titolo è dell'Editore, e a questo proposito Rea tiene ad affermare la sua illimitata stima per De Amicis.

« Se Rea avesse dovuto scegliere un titolo, gli avrebbe dato però *I 51.*

« Si tratta infatti della storia di cinquantuno ragazzi che stettero con Rea alla scuola elementare ».

— Alla scuola elementare, — ripeté.

Le sue parole erano andate spegnendosi a poco a poco in una specie di mormorìo, sia per effetto di un rompersi della tensione, sia a causa di certe voci e figure che venivano movimentando, da qualche momento, l'attigua strada, vagamente visibili entro lo scialbo riquadro del vetro.

— Guarda... guarda... — gli sentii dire a un tratto, pensosamente. Aveva abbassato la mano che stringeva il foglietto, e si era accostato con curiosità ai vetri. Mi alzai e guardai anch'io.

Veniva avanti, per Via Galiani, un gruppo di ragazzetti del vicino borgo marinaio, scalzi e arditi, e li precedeva una bimba di forse sette anni, completamente rapata, vestita di un solo cencio grigio, che le veniva fin sui piedi, lasciando scoperto il petto, a modo di una dama. Questa, che doveva essere una specie di capo della turba, portava in mano un bastone, in cima al quale splendeva debolmente, tutta dorata, una piccolissima immagine di Sant'Antonio. Essendo ancora la settimana in cui era stata celebrata la festa del Santo, andavano lei ed i compagni chiedendo in suo nome un'offerta ai passanti. E così passeggiando, ed elemosinando, emettevano un grido pieno di risa, una supplica buffonesca e desolata insieme, parafrasando uno dei tanti inni cristiani alla Vergine:

Virgo preticando
abbi di noi piatà

e insistevano su quel *piatà* torcendosi dalle risa.

— Guarda... guarda! — ripeté Luigi.

E aggiunse:

— Veramente divertente.

E dopo un poco:

— Come colore, perfetto.

Mentre diceva questo, la ragazzina, come un mostro da baraccone assalito da un capriccio improvviso, che non era previsto negli spettatori, lasciò rapidamente il gruppo, e con una mano tesa, sudicia, falsamente imploante, la bocca senza denti aperta in una risata muta, avendo intravisto il giovane, salì di corsa i pochi scalini, si accostò ai vetri, con la gonna in mano, facendo un inchino. Quindi sputò.

La saliva scendeva ora lungo il vetro, e Luigi la guardava. Insieme, ascoltavamo il rumore di quei passi scalzi e quelle risa infantili, corrotte e dolci, che si allontanavano.

Rientrò Anita.

— Ho pensato, — disse venendo avanti, — che potremmo andare tutti da Rea, stasera. Annamaria (era la moglie di Rea), mi aveva pregato di telefonarle. È una buona occasione.

S'interruppe, come già la prima volta, vedendoci silenziosi.

— Ma qui non ci si vede, — disse (era infatti molto buio), e girò l'interruttore della luce, e la prima cosa che vide, chissà perché, fu il vetro e lo sputo.

— Hanno sputato... — disse Luigi, — certi ragazzi... Così dicendo, tornò a sedersi nell'angolo del divano. Vi fu un silenzio. Ella evitava sempre di perdersi in considerazioni inutili. Perciò, rivolgendosi a Luigi, disse:

— Tu, non vieni?

— No, sono stanco.

— Allora andrò da mia madre.

— È meglio, — disse gentilmente il funzionario. Ella sembrava perplessa.

— E questo cos'è? — chiese curvandosi e prendendo da terra il foglietto di carta, chissà come caduto, con le notizie di Rea.

— Non so. Forse una nota del lattaio.

Si sentì ancora il bambino strillare: — Mamma! Mamma!

— Va bene, arrivederci, — disse lei lasciando ricadere il foglietto. — Noi ci vediamo ancora, — disse salutandomi.

— Guardami sulla testa, — disse Luigi quando la giovane fu uscita, con una pazienza e un terrore infiniti, sforzandosi a una calma del tutto innaturale, — non ho nulla... nulla di bagnato?

— Nulla... ti assicuro.

— Mi pareva... Sentivo... — egli balbettò. — Ora vattene, vattene.

Appena fuori di casa, mi misi a correre.

Sentivo delle lacrime appena trattenute da una cosa più forte, una paura indefinita di quell'aria così dolce, quel cielo così chiaro, quelle colline lunghe come lunghe onde che chiudevano nella loro serenità tante inquietudini e orrori. Eppure, tutto sembrava così gaio e armonioso. Non solo la Via Galiani ma, da un momento all'altro, anche la interminabile Riviera di Chiaia era mutata. Dove prima non scorgevo che regolarità e una pietrificata desolazione, adesso tutto era disordine, e un cupo incanto. Non presi nessun tram, mi avviai a piedi, e, per dire la verità, non sapevo più dove fossi. E se io andassi o venissi, e se fosse il tramonto oppure l'alba, se fossimo al tempo delle invasioni americane o in una pura serata greca. O, se invece che in Neapolis, fossi in Barcellona, o a Tunisi, in una minuta vociferante folla di arabi. Era l'ora che Napoli si accende e gonfia come una medusa; e le sue ferite risplendono, i suoi cenci si coprono di fiori, e la popolazione barcolla. C'era per le strade un effetto di movimento e di eccitazione, che poi, guardando meglio, era nulla. Dai vicoli straripava la folla dei popolani, dei paria, e, per le strade eleganti, andava a confondersi con quella borghese e aristocratica, che neppure mostrava fastidio o ribrezzo, perché non se ne avvedeva. Molti rimanevano semplicemente sulla soglia di quei vicoli che sono le vene di Napoli: chi si soffiava con un cartone, chi dormiva allungato sul marciapiede, con la bocca aperta, chi mangiava, chi cantava una nenia triste; nelle stanze, vicino ai letti, c'era chi cucinava, e sui letti chi, a volte anche un uomo giovane, disteso pensava. Quella parte del popolo che, invece, scendeva verso il centro, in un inesausto desiderio di aria pura, di panorami, neppure parlava o vociava, come si favoleggia del popolo di Napoli: zitti e stanchi passavano lungo i muri, con le loro facce irregolari e pallide, illuminate da occhi troppo grandi, come in una caricatura, e cerchiati, la pelle mal lavata e coperta di tele scolorite dall'uso e indurite dalla polvere. Non avresti detto che fossero svegli, ma che in un sogno oscuro si agitassero.

Chi, allora, o che cosa, produceva quel vago continuo rumore, che movimentava l'aria della città come il vento se percuote le onde? Erano le radio, i pianini, i violini agli angoli delle strade, le ruote delle carrozze sul selciato, i clacson delle macchine, l'urlo inutile di un cane preso a sassate da un ragazzo; erano il ragazzo che si rotola nella polvere, sua madre che racconta un sogno a una vicina, due ragazze che parlano di un uomo. La città si copriva di rumori, a un tratto, per non riflettere più, come un infelice si ubriaca. Ma non era lieto, non era limpido, non era buono quel rumore fitto di chiacchierii, di richiami, di risate, o solo di suoni meccanici; latente e orribile vi si avvertiva il silenzio, l'irrigidirsi della memoria, l'andirivieni impazzito della speranza. Non sarebbe durato molto, e difatti, poco a poco si spense.

Era notte, quando risalendo Via Filangieri, mi ritrovai nella celebre Via dei Mille, strada che deve il suo nome, credo, al passaggio dei garibaldini, in una mattina del settembre 1860. Oh, non rumori più, non suoni, da tempo, mai, in questa monumentale fredda strada. Ma, solo, il passaggio metodico di alcune persone note alla città, quanto prive di ogni funzione meno che decorativa. Il Caffè Moccia, una delle sue attrattive maggiori, spandeva sul marciapiede una dolce luce azzurra. Il locale, a forma di ferro di cavallo con la base rivolta alle vetrine, era deserto, tranne in una delle due sale coi tavolini di ferro rosso. Là, in piedi, conversavano amabilmente due persone. Guardando meglio attraverso i vetri, riconobbi John Slingher, che già la mia memoria aveva creduto intravedere nella casa di Via Galiani. Stavolta, in carne ed ossa, quanto può esserlo un uomo dedito ai sogni, e impeccabilmente vestito (indossava un completo grigio raffinato da una cravatta color perla), sorbiva lentamente un caffè. Di fronte a lui, stava Gino Capriolo, uomo di mezza età, dall'aspetto robusto e malinconico, noto per la sua rubrica comica « Succede a Napoli », scritta in vernacolo, che viene trasmessa ogni domenica, all'ora di pranzo, da Radio Napoli, corredata da un folto numero di « Lettere del pubblico », che gridano aiuto per questo o quel caso pietoso. Vi sono malati di cancro che chiedono una medicina, disoccupati che implorano un materasso per il letto, delinquenti invecchiati e tristi che domandano timidamente un chilo di pasta per la prole tubercolotica, o la trasmissione di una canzone che gli ricordi la giovinezza, e così via. *Umana* è definita dai napoletani questa rubrica, con la particolare compiacenza con cui le persone corrotte pronunciano parole pure ed elevate. Non mi fu difficile, nel discreto silenzio della strada e del locale, intendere il principio di un discorso in cui erano immersi i due antichi intellettuali. Essi stavano dissertando su una questione sottilissima: di come il dialetto napoletano possa raggiungere, se approfondito, dignità di lingua. Citavano Di Giacomo e Rea.

Si spostarono a questo punto, e così potei scorgere dietro di loro, seduto a un tavolo e senza niente davanti, il ragazzo Vincenzo Montefusco, già parte dei compagni del gruppo Sud. Alto e brutto come un uccello, gli occhiali sul grande naso, quasi fossero nati insieme, aveva lo sguardo strano e intento di quando si credeva solo. Un tic, che gli era rimasto dal giorno che suo padre, un degno funzionario, era stato fucilato dai tedeschi, faceva che volgesse o alzasse a ogni attimo il capo, come se qualcuno lo chiamasse. Ma non c'era mai nessuno. Mi ricordava i suoi quadri cattivi, il rosso dei suoi nudi, come di anime dannate, e invece erano donne, ma donne di Napoli; infine, la *Crocifissione*, con l'ombra delle tre croci trasformata in altrettanti patiboli, da cui pendevano silenziosi tre napolitani moderni. Certamente, egli non prendeva caffè perché non aveva soldi, e Cardillo, il cameriere, lo lasciava stare.

In un angolo stava Cardillo, piccolo uomo dal viso consumato e patetico, forse appena più pallido del necessario. E con un tovagliolo sul braccio, appoggiato di schiena a un muro, guardava ora questo ora quello dei due signori, e il ragazzo dal lungo collo che ogni tanto scattava. Né potrei dire che passasse nei suoi occhi un pensiero, ma certo, sulle labbra, stava fermo un sorriso leggerissimo, inconsciamente stupefatto e pietoso, come chi veda dall'alto in aperte pianure città morte, scorga resti di necropoli, statue abbattute, e il volo di qualche corvo. Forse tutto ciò non era vero, ed egli pensava alla sua vecchia vita, ai figli, ma tuttavia *pareva*. E in quel dubbio ch'egli pensasse e vedesse ciò che io vedevo, affascinata lo guardavo. Ed ecco che i due signori smettono di parlare, e muovono qualche passo verso la porta. Questo fatto mi strappò alla mia contemplazione, e sgomenta all'idea di essere riconosciuta e salutata, mi staccai dalla vetrina e ripresi a camminare.

Ma non volli andare avanti (mi sentivo piuttosto stanca), fino a quella Piazza Amedeo, per tre lati circondata da palazzi, appoggiata per il resto a una collina che la sovrasta con la sua oscura vegetazione, le rupi, i fiori. Là, in un decoro assolutamente borghese, Napoli finiva. Tornai indietro per la Via Filangieri, e come ormai le poche luci erano accese, scorsi distintamente, sulla soglia di uno di quei palazzi, Guido Mannaiuolo, proprietario del « Blu di Prussia », piccola galleria d'arte moderna, di cui s'è parlato al principio di queste pagine. Uomo alto e bello, che in qualche modo ricorda un capitano inglese del secolo XVII, coi suoi occhi celesti, teneri e freddi insieme, stringeva nella sua bianca mano un ventaglio nero, qua e là sforacchiato dal tempo, e con quello si faceva aria di quando in quando, non perdendo di vista, mentre così oziava e pensava, gli abiti e le acconciature di quelle signore che gli passavano davanti sul marciapiede. Forse aspettava qualcuno che ancora non veniva; oppure era uscito sul portone solo per prendere aria (nell'interno del cortile era la sua *boutique*). La giornata era stata molto calda, e mi pareva di scorgere su quella faccia dalla pelle di avorio, su quelle labbra sottili e strette, nella figura appena più appesantita, non so che segni di una stanchezza e fermentazione, non dovute solo all'estate.

— Mia cara, — mi disse con estrema dolcezza, quando fui a pochi passi, — ho visto poco fa una cosa superba, un delizioso scialle nero con dei rami d'ortica rossi, e una sola rosa vicino alla frangia. Era come una notte senza speranza, vegliata da accesi ricordi. Sono sicuro che ti piacerebbe. Compralo, oh, compralo!

Si ricordò improvvisamente che molto tempo era passato da quando mi aveva vista l'ultima volta e, in certo senso, si compì in lui un processo d'identificazione.

— Ma sei cambiata, — disse un po' turbandosi, — quasi non ti riconoscevo, non è vero, Paolo? — disse volgendosi dolcemente a qualcuno nascosto dall'ombra del portone. E guardando dove lui guardava, scorsi Paolo Ricci, uno dei pittori più noti di Napoli comunista, uomo alto e rosso, dallo sguardo ombroso, che una volta si vedeva sempre nella redazione della « Voce », ma da qualche tempo era scomparso, viveva raccolto nelle sue stanze della bellissima Villa Lucia.

Non so perché, mi parve di scorgere su quella faccia un furore segreto, il dolore di doversi trattenere col gentile Guido non essendovi, a Napoli, scelta alle conver-

sazioni, e il sospetto di un giudizio compassionevole. Mi
guardò e non rispose, anzi torse la faccia verso il muro.

— Ma bene, molto bene, mi fa piacere, — proseguiva
intanto col suo tono svagato, quella distrazione terribile,
di chi soffre senza più capirne la ragione, e quei soavi
sorrisi, Guido. — Ti tratterrai, spero. Come trovi Napoli? E Luigi, l'hai visto?

— L'ho visto, — dissi.

— Sta bene, m'immagino.

E poiché io non rispondevo:

— Di animo, mi sembra molto sollevato.

E continuando a fissarmi con uno sguardo più dolce
della rosa che aveva prima evocata, e insieme assolutamente triste, morto:

— Il suo spirito, lo stile, la serenità. *C'est vraiment
éclatant. C'est Naples même.*

Richiuse il ventaglio, e tutto pensieroso, pieno di
un'angoscia che non riusciva a nascondere, rientrò nella
sua *boutique*.

Tessera d'operaio n. 200774

L'indomani si levò una giornata poco limpida, eppure
piena di riflessi abbaglianti, di una confusa, turbata luce.
Da ogni parte salivano gridi di venditori, acuti e tristi.
Dovevo abbassare gli occhi per andare avanti, tanto la
luce che filtrava da quelle immobili nuvole era intensa.
In quel doloroso splendore, le case di Via Roma, l'antica
Toledo, dove presi il 115 che mi avrebbe portato all'Arenella, a casa di Rea, sembravano lì lì per franare, come
una montagna di tufo; i diecimila balconi e finestre scintillavano, e così le vetrine dei negozi, le insegne dei locali pubblici, le edicole dei giornali. Ma era uno scintillìo solitario, come di una città abbandonata. Era strano,
ma questo che vedevo, per tanti aspetti non mi sembrava

un popolo. Vedevo della gente camminare adagio, parlare lentamente, salutarsi dieci volte prima di lasciarsi, e poi ricominciare a parlare ancora. Qualcosa vi appariva spezzato, o mai stato, un motore segreto, che sostituisce al parlare l'agire, al fantasticare il pensare, al sorridere l'interrogarsi; e, in una parola, dà freno al colore, perché appaia la linea. Non vedevo linea, qui, ma un colore così turbinoso, da farsi a un punto bianco assoluto, o nero. I verdi e i rossi, per la rapidità erano divenuti marci; gli azzurri e i gialli apparivano sfatti. Solo il cielo, a momenti, viveva, e la sua luce era tale che bisognava farsi schermo agli occhi.

L'auto mi portò in Piazza Medaglie d'Oro, e di lì, per andare in Via Arenella, dovetti tornare indietro. A due passi dal quartiere più moderno di Napoli, il Vomero era viva e nera campagna. Orti, poche case basse, giardini cinti da muretti, dove spiccava qua e là un giallo o un rosso di garofani o vesti femminili. Occhi di donne e ragazzi, pieni di una vita furiosa, senza armonia alcuna. Una donna, da un terrazzino, ne chiamò un'altra, giovane, vestita di giallo e rosso, intenta nel giardino a stendere dei panni. — Mo' vengo, — rispose cantando questa. Dal terrazzino, la voce gridò dopo un attimo, impensatamente: — *Pozzi jettà 'u sangue* — (possa vomitare il tuo sangue). Guardai la donna che aveva gettato l'augurio: era già calma, assorta.

La casa di Rea era alla fine di questi orti, in un edificio di recente costruzione, segnato col n. 77. L'aveva comprata da poco, col denaro del premio, e se ne diceva entusiasta. Guardando in alto, vidi una fila di terrazzini bianchi, con delle cordelle tese da un muro all'altro, come già nella casa di Luigi, e da quelle pendevano un po' di biancheria, dei calzini. Una goccia, che non era di pioggia, mi cadde su una mano. Era mezzogiorno, e non si sentiva un grido, una voce. Caddero altre gocce: era la biancheria.

Ebbi la sensazione che la famiglia fosse già a tavola, e

che la mia vista avrebbe portato un certo imbarazzo. Mi chiesi anche se non avrei fatto bene a ritornare più tardi. Poi guardai ancora quei calzini, su in alto, e la luce corrotta del giorno che ricopriva quegli alberi nani, quei giardini, quel paesaggio insieme sensuale e funereo. Entrai.

La porta alla quale bussai era all'ultimo piano. Non attesi neppure un secondo: si aperse di colpo, con uno scatto nervoso, e vidi subito la signora Annamaria, consorte del Rea, identica a Cora di *Una scenata napolitana*: « bella, magra, piccola, coperta di carne livida, una seta »; gli occhi grandi e neri avevano dentro una fettina di luce bianca, un velo, come se la giovane fosse sola, o avesse a lungo viaggiato, e fosse sfinita, desiderosa di quiete e di sonno. Si voltò indietro, prima di parlarmi, e allora vidi Rea.

Il giovanotto stava addossato al muro della piccola anticamera, guardando dalla mia parte fissamente. Non avevo mai visto nulla di più reale, preciso, immobile, immutabile e freddo nella sua natura, come potrebbe essere un chiodo. Aveva una di quelle faccette terribili, pallide e appena torte, sforacchiate dal vaiuolo, come s'incontrano nella plebe dov'è più forte, con due occhi neri, solo pupilla dietro le lenti, acutissimi. Ciò che mi colpì soprattutto, fu la loro bizzarra espressione, tra l'estrema serietà delle bestie, e l'umana inquietudine, la prudenza. Vestiva bene, di nuovo: calzoni grigio azzurri, a righine, camicia color avorio, gilè di lana nocciuola e scarpe di camoscio chiaro.

— Stai qua, — disse con la stessa freddezza del Compagnone, un allarme segreto. E non sorrideva, mi osservava.

Tutto ciò non durò più di un lampo, tanto che se vi avessi fatto meno attenzione, non avrei potuto notarlo. Egli si staccò dalla parete e, *sorridendo*, mi venne incontro. Allora, anche la signora, che preferisco chiamare Cora anziché Annamaria, sorrise e mi lasciò entrare.

— Devi scusarmi, — dissi un po' imbarazzata, — se vengo all'ora di pranzo. Ma non hai telefono, e non sapevo come fare. Luigi ti manda tanti saluti, — dissi la prima cosa che mi venne in mente per dissipare il mio imbarazzo, e con mia meraviglia, quel nome egli non sembrò notarlo.

— Entra, entra. Stavamo mangiando. Trovi anche Pratolini.

Fui introdotta in una cucina piccolissima, tipo case popolari, imbiancata a calce. Lo scrittore toscano, seduto a capo di una breve tavola appoggiata al muro, era in maniche di camicia, e sorrideva vagamente malinconico, in mezzo al fumo che saliva da una grande zuppiera piena di pasta. Cora mise sulla tavola una bottiglia di vino nero e un piatto di pere gialle, e la tavola parve più luminosa. Alle spalle di Pratolini, la giacca dello scrittore pendeva da un chiodo sulla parete, e dalla tasca fuoriusciva la testata dell'« Unità ». Più dietro, i vetri di un balcone ripetevano una parte del terrazzino, due muri bianchi, il cielo pieno d'afa. Mi guardavo intorno, sorridendo, non perché fossi a mio agio ma perché sentivo ancora fissi su me, con una strana inquietudine, forse effetto dello scintillìo delle lenti, quegli occhi duri, acutissimi, che mi avevano spiata dall'anticamera. Come tutti i veri figli del popolo, pervenuti a fortuna e grandezza improvvise, Rea non era mai tranquillo, e continuamente sollecitava gli altri a un giudizio che talora non esisteva, o, forzato, si palesava incerto. In quell'incertezza vedendo egli del malanimo contro di lui, furiosamente si difendeva, uscendone meno persuaso e felice che mai. La mia vista doveva aver sollevato in lui una vera ondata di affanni. Sempre guardandomi, egli sedé, e cominciò a spezzare del pane con le sue piccole mani, apparentemente distratto, eppure sordamente attento.

Mentre Cora aggiungeva una scodella per me, e accostava un'altra sedia alla tavola, feci qualche domanda a Pratolini, il cui sorriso un po' malinconico mi faceva pensare che neppure egli si sentisse veramente tranquillo, quella mattina, e lo scrittore mi confermò che le voci che avevo sentito su un suo trasferimento a Roma, erano esatte, in quanto aveva davvero lasciato Napoli, stabilendosi a Roma, in una casa sulla Via Appia. Il famoso romanzo su Napoli l'aveva finito, ma — e qui mi parve che una certa vergogna di fanciullo gli oscurasse la fronte — sentiva che tanti anni nella casa di Piazzetta Mondragone non erano serviti a rivelargli questa città, e adesso gli pareva che il suo lavoro ne fosse rimasto estraneo, desolatamente lontano. Era una città enorme, la più grande e imponente del mondo, per il nocciolo pagano e, solo nel segno delle sue ferite, cristiano; e l'albero ch'era uscito da questo nocciolo, ancora, fatto strano, non si capiva che fosse, né poteva dirsi a quale specie appartenessero le sue lisce foglie, i suoi molli frutti. Si fermò a questa immagine, e mentre io con tutto il cuore l'approvavo, mi accorgevo che, intento in un solo pensiero, Rea, gomiti sulla tavola, mi osservava; e vi era nel suo sguardo quella sofferente ansia che gli conoscevo, di carpire il giudizio di un altro su lui, qualunque fosse, per strozzarlo sul nascere, benché dopo questo fatto la sua smania non si sarebbe affatto placata. Mi sbagliavo, però, supponendo che tale ansia avesse me per oggetto.

— E che ti ha detto Luigi? — domandò improvvisamente; e mi sbalordì la passione con cui, intesi in principio quel nome e quelle parole « Luigi ti manda tanti saluti », le aveva ricevute e sviluppate fino a una preoccupazione così scoperta e angosciata. Aveva sempre mostrato di condividere, con la città, un blando disprezzo per l'antico marxista, benché in realtà si frequentassero e le loro mogli fossero amiche. Non gli riconosceva altra qualità che quella di divertente. Mi accorsi in quel punto quanto in realtà lo stimasse. Non risposi subito. Cora ci stava mettendo gli spaghetti nel piatto, e lui disse « basta », dopo due forchettate. Non mangiava molto, come tutti gli ambiziosi. Sapeva che il mangiare addormenta.

— Che ti ha detto Luigi, allora? — chiese dolcemente.

E come io mi fingevo distratta:

— Vorrei proprio saperlo.

E prima che io potessi rispondere:

— Mi odia? Di' la verità: mi odia?

Sentii il rumore della forchetta buttata con ira sulla tovaglia. Era come se, improvvisamente, il soffitto si fosse aperto, e da quel cielo stagnante fossero piovute delle serpi fra i piatti. Continuammo a mangiare, la testa bassa, poi, Pratolini azzardò:

— Perché dovrebbe odiarti?

— Non ti odia affatto, — dissi io.

— Mi vuoi far perdere anche l'amicizia di Anita! — si lamentò Cora. — Come fosse chissà come questa mia vita! — e subito amaramente piangeva, con la testa sul tavolo.

— Stupida, — disse Rea, — ora ti dò uno schiaffo.

Ma non si mosse, e preso in quel suo pensiero, si versò un bicchiere d'acqua.

— Non mi odia, forse, ma certo gli dò fastidio. Sono il primo scrittore di Napoli, ma questa non è colpa mia. Con lui sono stato sempre gentile. Non lo considero nulla, è vero, anzi lo disprezzo, ma questo lui lo sa. La verità, è che io sono sano, e lui malato. Sano come scrittore, s'intende. Io amo il popolo. Io, anzi, sono popolo. Mia madre era una *vammana* [1], questo è certo, verità vera. In quanto a me, sono stato operaio, poi piazzista nel Brasile, infine scrittore. Laggiù ho scritto articoli anche sulla « Folha da Mana », un quotidiano importante, serve per dire. Molti mestieri ho fatto, ora sono scrittore. Non

[1] Levatrice.

uno scrittore come tanti. Io i classici li ho studiati. Boc-
caccio, Manzoni sono il mio dio. Ho una biblioteca, non
dei libri da ridere. Io non rido. Io cresco, vivo, mi espan-
do. Ho delle ambizioni, si capisce. Questa casa è solo il
principio. Ma penso anche agli altri, voglio che tutti abbiano una casa così, e il bagno, e il telefono. Per questo
seguo con interesse il Partito, e il Partito mi segue. Noi
c'intendiamo. Noi siamo contro la lebbra e il cancro.
Siamo per la scienza applicata alla natura, siamo. Questo
è il segreto. Luigi, invece, che vuole? Ride, non fa che
ridere. Su un uomo simile, io sputo.

— Sì, non fa che ridere, — disse guardingo Pratolini. E soggiunse, dopo un'esitazione: — È un uomo
finito.

— Non ti pare? — chiese Rea.

— Non si abbandona senza un perché il Partito, —
disse Pratolini. — Qualcosa, nell'uomo, non funziona
più, allora. Io capisco chi non c'è mai entrato (quan-
tunque sia un limite) ma giudico chi ne esce.

— Anche tu sei d'accordo? — chiese Rea.

— Trovo che non se ne dovrebbe più parlare, —
fece Pratolini; e si mise a guardare il pesce che Cora
gli metteva davanti. — Questa è una delle cose più belle
di Napoli, a Roma non se ne trova.

Rea, invece, rifiutò il pesce, e prese una mela, che
dopo un po' buttò via.

— È marcia! — disse rivolto a Cora. — Portaci il
caffè nello studio.

Questa stanza sembrava la più piccola, ma anche la
più bella di tutta la casa. L'intera parete di destra era
coperta da una libreria che arrivava fino al soffitto, piena
di volumi vivacemente colorati, quasi tutti nuovissimi,
che occupavano gli scaffali di legno chiaro. Un tavolo
anche grandissimo, dello stesso legno della libreria, stava
davanti a questa, più simile al tavolo di un geometra

che di uno scrittore. Tra la libreria e il tavolo, la sedia. Sul tavolo, quasi affatto sgombro, era posata una grossa lampada, e un'altra, a forma di imbuto allungato, dipinta di giallo, pendeva da un'asta lì vicino. Il cestino per le carte era in paglia lucida, colorata, e sembrava anch'esso nuovissimo. A terra, in un angolo, la macchina da scrivere, e molti libri che non avevano trovato ancora una sistemazione. La parete di faccia era occupata invece da un divanetto e due poltrone di paglia, più un tavolino basso. Dalla finestra, nella parete centrale, si vedevano certe case in cemento armato, sotto il cielo velato, accecante.

Rea si fermò sulla soglia, avvolgendo di uno sguardo vigile e appassionato tutte quelle cose, poi andò a sedersi dietro il tavolo. Pratolini e io ci mettemmo nelle poltrone, mentre Cora rimaneva sulla soglia, guardando dolorosamente il marito, con quella medesima aria di sempre, di bestia amata e ferita, come se stesse lì lì per scoppiare in lacrime; poi, quasi senza che ce ne accorgessimo, uscì.

Sentivo che Rea era ancora turbato dai discorsi fatti a tavola, e volli distrarlo rivelandogli il vero scopo della mia visita, un'inchiesta per un settimanale illustrato. Pensavo che ne sarebbe stato molto soddisfatto, invece accolse la notizia con indifferenza. Forse non aveva alcuna fiducia nelle mie qualità di giornalista, o lo seccava, come accade spesso a uomini del sud, vedere in certe cose immischiarsi una donna. Certo, non mostrò alcun interesse.

— Ah, sì? — disse distrattamente, e, rivolto a Pratolini: — La devi vedere finita — (indicava con un gesto della mano la stanza), — non ora. Qui ci viene un tappeto. Quel divano e quelle poltroncine vanno sostituiti. Per le pareti, ho già in mente certi quadri. Di' la verità, a te Crisconio ti sembra buono?

— Non lo conosco... o molto poco, — disse vagamente Pratolini.

— Me ne hanno promesso uno. In regalo.

— È sempre un vantaggio, in questo caso, — rispose lo scrittore.

Lo guardavo, da qualche momento, e, non saprei dire come, mi sembrava, malgrado il suo sorriso, vagamente deluso, scontento. Venuto a Napoli, forse per affari, ma soprattutto per il bisogno che quelli che sono stati una volta per queste strade hanno di tornarvi, sentendosi esuli in qualsiasi altro luogo, illusi da un che di straordinario che credettero sentire o vedere, come un'aria d'olimpo, in questa misera città, non trovava nulla, nessuno lo aspettava più, l'amico non gli badava, e molte cose egli doveva avere sul cuore. Forse, senza che neppure se ne accorgesse, la prepotente umanità, gli affanni del popolano lo infastidivano, e costretto dalla sua fede a cercare certi amici invece di altri, si domandava se non avesse sbagliato chiedendo a Rea il conforto di un colloquio amichevole.

— Stanno facendo molte traduzioni del mio libro, in America e in Inghilterra, — disse rivolto a me, con quel suo sorriso mite, un po' triste, di fanciullo trascurato, e sperava che Rea gli badasse, ma Rea era tornato soprappensiero. — Non so se andranno molto, comunque.

— Perché no? — dissi io.

Pratolini stava per rispondere qualcosa, quando Rea lo interruppe.

— E di Luigi, parlerai? — mi chiese quasi minacciosamente, come se finora non avesse pensato ad altro.

Elusi la domanda, mostrando di non aver sentito.

— Dico a te! — gridò irritato Rea, picchiando con una matita sul tavolo.

— Ah, non so, non credo.

— Invece è importante. Negativo, s'intende, ma importante. La Napoli di ieri. Mettilo pure a fianco mio.

Riapparve Cora, col caffè, e a un tratto quel giovane divenne sfrenatamente allegro. La sua piccola faccia butterata s'illuminò come le pietre di Napoli, quando s'alzano nel cielo notturno, dapprima in silenzio, poi con fischi e fragori altissimi, i fuochi d'artificio.

Si alzò, corse ad abbracciare Cora, mettendo in pericolo le tazze che la ragazza riuscì appena a posare sul tavolino, stupefatta e infelice, la fece girare rapidamente stretta a lui, e un fiume di parole ardenti, ardite, vanitose, insensate e infantili, tra cui le più incolori mandavano scintille, gli uscì dalle labbra. Cora barcollava, alla fine le riuscì di svincolarsi.

— Vatti a cambiare la camicia, piuttosto, ché alle tre dobbiamo andare da Anita, — disse tristemente.

— Le voglio assai bene, — rise Rea quando la ragazza fu uscita. — È una femmina di fuoco. Il suo difetto è che piange sempre. Io glielo dico, qualche volta: — Ti dovevi prendere un marito borghese, di quelli che fanno all'amore solo la domenica —. E rise ancora, spavaldamente, felice.

Né Vasco né io, in questo frattempo, avevamo osato parlare. Piuttosto che formulare un giudizio, eravamo sopraffatti da una sorpresa continua, come se il giovanotto che ci stava davanti non fosse un cittadino, ma una forza della natura, una natura epilettica e continuamente sorprendente. Più che Napoli, dove la forza è ormai debolezza, cioè isterismo, egli era la Campania, quei contadini e carrettieri furibondi che premono alle porte di Napoli; la terra felice dove il pensiero non esce dai confini del sesso, dal tumulto e il peso del sangue. In un momento era un altro, senza controllo, beato. Pure, non era un fatuo. Anche la sua violenza e la sua vanità erano paurosamente serie. Come aveva avvertito, egli non sapeva ridere. La sua visione della vita non andava più in là dei meccanici contorcimenti del popolo. Queste cose egli descriveva in modo perfetto, ma remoto, essendo egli stesso remoto, antichissimo figlio della natura. Ove non si fosse compiaciuto di questa sua antichità, sarebbe stato perfettamente antico e inconcepibile. Ma egli se ne compiaceva, naturalmente, sapeva d'essere antico, e bastava questa compiaciuta coscienza a svuotare le sue forme d'ogni verità, determinando così una frattura nel suo mondo creativo. Così che la parte più attiva e più vera di lui era in quelle sue cupezze, quell'avidità, in quel sospettare continuamente e continuamente temere il giudizio di Luigi, non in quanto letterato, ma uomo, specchio, sebbene offuscato, di quel poco di coscienza che si era fatta strada, dopo la guerra, a Napoli.

Vuotò la sua tazza di un fiato.

— Di' la verità, a te il popolo non ti piace! — mi disse poi bruscamente, venendo a sedersi al mio lato.

Aveva ripreso l'aria tranquilla che gli conoscevo, guardinga, un po' dura.

Lì per lì non seppi cosa rispondere.

— Ti sei scandalizzata, poco fa, che ho abbracciato mia moglie. Tra voi, queste cose non si fanno. Siete degli ipocriti.

Neppure questa volta, Vasco e io fiatammo.

— Perché, non ho ragione? — chiese rivolto a Vasco.

— Hai ragione, solo che noi non ci siamo affatto scandalizzati, — disse Vasco. — Noi semplicemente guardavamo.

— E avevate qualcosa a ridire, forse?

— Niente, — disse Vasco.

— Niente, — diss'io.

Sorrise. Un pensiero straordinario gli era passato per la mente e, senza più curarsi di Vasco, guardandomi sottecchi, cominciò a sfilarsi le scarpe, e mi spiava per vedere se questo fatto riusciva a turbarmi. Aveva certe calze di filo, azzurrine come i calzoni, macchiate di giallo in punta.

— Ti piacciono queste calze?

Chiesi quanto costavano, e tornò ad irritarsi.

— Dici che devi fare l'inchiesta, e ancora non mi hai fatto nessuna domanda. Avanti, scrivi.

Prese lui stesso il quaderno a righe che avevo messo sul tavolo, e svelto svelto me lo appoggiò sulle ginocchia. Intanto mi spiava, per vedere se osservavo i calzini. E dondolava il piede, proprio sotto il mio naso, affinché li guardassi. Io non sapevo che domande fare, e me ne stavo lì, impacciata, con gli occhi bassi e un che, nella faccia, di confuso. Il che vedendo, e interpretando come una smarrimento femminile, mosso da pietà, e insieme preoccupato per la chiarezza dell'inchiesta, mi strappò dalle mani il quaderno che un momento prima mi aveva dato, l'aprì e si mise a scrivere lui stesso, con grande e meticolosa attenzione, e una certa calma contadina. Aveva, per forza, dovuto rimettere i piedi a terra; ma già preso nella sua più profonda passione e cura della propria fama, aveva dimenticato quel capriccio. Quando mi restituì quel quaderno, perché rientrava Cora già col cappello in testa (un tubino nero con due piume verdi, luccicanti, e la veletta), vidi che mi guardava con uno sguardo brillante e pieno di sottintesi ormai solo professionali, che m'intenerì. Detti un'occhiata al quaderno. Sotto una paginetta fitta di notizie intorno alla sua opera, e di quei nomi di critici che lo avevano celebrato, figurava anche un numero, il 200774.

— E questo cos'è? — chiesi.

— Non ci vedi? Sta scritto sotto, — disse guardando Vasco con uno strano sorriso negli occhi, — la mia tessera d'operaio.

Vasco non disse nulla, e neppure Cora, e neppure io. E Rea, dopo un poco, benché non fiatasse, s'era nuovamente incupito.

Di lì a qualche momento uscì per andare a vestirsi, e vidi che anche la luce delle nuvole, in quel frattempo, era diminuita.

Traduzione letterale: « Che cosa significa questa notte? »

« Prisco e La Capria », mi dicevo più tardi, col viso incollato al finestrino dell'auto, mentre la strada dell'Arenella tornava rapidamente indietro; e cercavo, con questi nomi, quasi meccanicamente, di distrarmi, uscire da quello stato di oppressa lucidità, di timore, che provoca a volte la vista di luoghi disabitati, di mandre silenziose, di un sole indebolito su un paesaggio immobile.

A lungo tuonò, da un punto nascosto del cielo, ma non piovve, anzi quel cielo ch'era parso turbarsi e voler rompere in acqua, lentamente tornò a schiarirsi, e sul mare grigio inquadrato nel vetro del finestrino, simile a una biscia d'argento dietro il verde spento degli orti, riapparvero le isole.

Prisco e La Capria, a pensarci, li conoscevo bene, e ricordarli era come vederli, e già sapevo come mi avrebbero ricevuta, se fossi andata a trovarli, e le parole che mi avrebbero detto. Il primo si era fatta una casa in Via Crispi, una delle strade più aristocratiche di Napoli, col Premio Venezia, credo. Una volta ero stata sotto casa sua, e ricordavo benissimo quella palazzina di quattro piani, color bianco e arancio, le larghe terrazzine con le saracinesche colorate e i davanzali ornati di vasi da fiori. Era un giovane molto tranquillo, un po' pingue, distinto; i nomi dei suoi personaggi: Reginaldo, Delfino, Radiana, Bernardo, Iris, perfettamente letterari e senza alcun riscontro nelle nostre regioni, avvertivano del suo isolamento e, più, del sereno distacco della sua immaginazione dalla furiosa e sempre tetra realtà di questa terra. Grazioso a vedersi e ascoltarsi, era per momenti in cui non si cercasse una verità. Non avrei potuto dire lo stesso di La Capria. Tutti conoscono ora il suo libro, e anch'io l'ho letto. Tutto quanto vi è d'involuto e di torbido, di ibrido e fragile in quel racconto che si attacca a Proust e Moravia, senza riuscire ad essere se stesso, rappresentava bene il punto in cui la natura di questa terra aveva raggiunto le mura di certe esperienze europee, ma non aveva scavalcato la cinta, era rimasta al di qua, dibattendosi e lamentandosi debolmente nella crescente oscurità della sera. Rivedevo la casa del giovane, a Posillipo, entro le grotte di Palazzo Donn'Anna; i maglioni celesti e bianchi di lui, che fino a pochi anni addietro era stato uno dei primi giovanottini della zona, sempre annoiati e scalzi in riva dell'acqua. Malgrado tutto questo, non mi appariva importante per una identificazione di Napoli, e difatti egli non era Napoli, ma la cultura e i vizi e le virtù di una borghesia più che altro meridionale, la cui patria finisce sempre per essere Roma. Io cercavo invece qualcosa che fosse Napoli, il Vesuvio e il contro Vesuvio, il mistero e l'odio per il mistero, i sussulti di un figlio di queste strade, di un fedele di queste strade, che fu, o cessò di essere soffocato, e tornò ad essere soffocato.

Avevo la sensazione, mentre l'autobus passava traballando e, quasi, minacciando ogni momento di rovesciarsi, come una macchina ubriaca, per la Via Giacinto Gigante, che dalla finestra di una di quelle case una testa bionda e due occhi infantili e superbi mi fissassero, e una mano bellissima posasse a lungo, incantata, sui fogli di un libro. Ma questo non poteva essere che un errore, perché da molto tempo Gianni Gaedkens, uno dei maggiori compagni del gruppo Sud — l'altro era stato Luigi — aveva lasciato Napoli, e tentava di lavorare a Milano. Questo non poteva essere, e mi dissi che avevo avuto un'allucinazione.

« Andrò a informarmi, — pensai; — andrò a chiederne notizie al Prunas ». E così mi ricordai anche di questo ragazzo, e mi proposi d'incontrarlo — non lo vedevo da molto tempo — prima di lasciare nuovamente Napoli.

Sempre barcollando e precipitando, l'auto aveva raggiunto intanto le grandi mura rosse del Museo Nazionale; attraversò quindi la piazza intitolata a Dante, ed entrò, con un'andatura divenuta normale, quasi stanca, in Via Roma. Si fermò tre o quattro volte. A una di queste fermate, scesi.

Mi trovavo davanti alla Banca d'Italia, poco prima dell'Augusteo, nel tratto che va dal grosso edificio della Banca fino a Piazza Trieste e Trento, passando davanti alla Galleria Umberto e al Vico Rotto San Carlo. Qui finiva (o cominciava) la celebre Via Roma, già Toledo, dal nome del viceré Don Pedro, che la fece aprire nel 1536 sul fosso O. della cinta Aragonese. Quasi rettilinea, in lenta salita da S. a N., lunga due chilometri e 250 metri, come avvertono le guide, è l'arteria principale della città. Stendhal la definì « la via più gaia e più popolosa dell'universo », e suppongo che questa fama le sia rimasta.

Come già la sera precedente nel rione di Chiaia, e benché non fosse ancora la medesima ora, anche qui c'era un gran movimento, un che di eccitato e straordinario, come fosse accaduto qualcosa — un assassinio, un matrimonio, una vincita, la fuga di due cavalli, una visione — ma poi, accostandosi, era nulla. La plebe dall'informe faccia riempiva questa strada meravigliosa e scendeva dai vicoli circostanti e s'affacciava a tutte le finestre, mischiandosi alla folla borghese, come un'acqua nera, fetida, scaturita da un buco nel suolo, correrebbe, ingrandendosi, su un terrazzo ornato di fiori. Della presenza di questa plebe, non era nessun segno sulle facce dei borghesi, eppure essa era una cosa terribile. Non è che vi fossero solo due o tre vecchie madri, di quelle che si grattano il capo, trascinando uno zoccolo, coi grandi occhi rotti dalle memorie, ma ve n'erano cento, duecento. Non è a dire che gli uomini dal petto concavo e gli occhi loschi, le mani strette al petto, fossero cinque o sei, ma erano per lo meno mille. E se aveste cercato una sola di quelle ragazze imputridite, che ornano le finestre dei vicoli con le loro fronti gialle, e cantano e ridono sommessamente, in maniera un po' tetra, sareste stato abbondantemente appagato. La passeggiata n'era piena. Se poi aveste voluto incontrare, per pregarlo di una commissione, o solo guardarlo in faccia, uno di quei ragazzetti fra i cinque e i dieci anni, che commerciano in sorelle e tabacco con gli Americani, quando la flotta USA è nel porto, sareste rimasto atterrito dalla loro quantità. Essi pavimentavano, addirittura, con le loro grige carni, la strada. E come, al cospetto, appariva mirabile e strana la serenità dei borghesi! Io mi dissi che due cose dovevano essere accadute, molto tempo fa: o la plebe, aprendosi come la montagna, aveva vomitato questa gente più fina, che, allo stesso modo di una cosa *naturale*, non aveva occhi per l'altra cosa *naturale*; o, questa categoria di uomini, per altro molto ristretta, aveva rinunciato, per salvarsi, a considerare come vivente, e facente parte di sé, la plebe. Forse, scaturite ambedue queste due forze dalla natura, non era mai sorta in esse la possibilità di considerare una rivolta alle sue sante leggi.

All'altezza di Via Santa Brigida, mi sentii chiamare con voce dolcissima, e alzando gli occhi a un palazzo di cinque o sei piani, scorsi, a quella distanza, affacciato e tutto dinoccolato a un balcone del piano più alto, un giovanottino dal viso estatico: era Franco Grassi, uno dei due figli del decano dei giornalisti napoletani, Ernesto, e lui pure occupato nella redazione di un giornale locale.

— Aspetta un minuto, ché scendo! — mi avvertì.

Guardandomi intorno, capii perché anche il Grassi stava affacciato a guardare. Qui era veramente accaduto qualche cosa. Il portone di uno dei palazzi appariva chiuso a metà, e dall'interno di uno di quei balconi veniva un gran piangere. Molte persone, plebe e borghesi, facevano silenziosamente circolo davanti al tratto di marciapiede sotto quel balcone. Era come se guardassero attentamente, con tranquilla avidità, qualche cosa, e, accostandomi, scorsi a terra una macchia rossa, lucente, circondata da altre più piccole, come foglie rosse sparse intorno a un cespuglio rosso. Alcuni, specialmente bambini, allungavano, a sfiorarla, un piede. Seppi, quasi senza domandarlo, che mezz'ora prima una cameriera diciottenne si era buttata dal terzo piano, a causa di un litigio con la padrona. Si diceva che la signora era stata già arrestata per maltrattamenti, ma la portiera dello stabile, una enorme donna grigia, che venne avanti con un secchio, smentì la notizia. La signora non c'entrava per niente. Giovannina Alatri, così si chiamava la morta, si era fatta poche ore prima una permanente fredda, contro la volontà del fidanzato, certo Ciro Esposito, un magliaro. Questi, saputo il fatto, le aveva comunicato per telefono che rompeva il fidanzamento. La ragazza, prima aveva riso, poi si era gettata dal balcone. Quasi certamente non voleva morire, voleva solo *impressionarlo*, ma si era rotto l'osso del collo: ancora mentre moriva, aveva gridato: « aiutatemi! » Dal secondo piano una vecchia signora che stava guardando tutta rossa in faccia, gridò che neppure questo era vero: conosceva Giovannina Alatri, e sapeva che non avrebbe mai fatto un passo simile, perché era una ragazza pia: la colpa era stata del Governo che aveva mandato via la famiglia reale: da quel tempo, Giovannina era cambiata, non dormiva la notte, e invocava sempre il Re. Anche quella notte lo aveva sognato, che le diceva: « Il mare si *arrevoterà*, la montagna si spaccherà e darà fuoco, e il cielo diventerà cenere sopra questa città ingrata ».

— Svergognata! — gridò una voce da un balcone accanto, — tenete ancora per la monarchia, dopo che ha tradito il Duce!

Si sentì un rumore di vetri infranti, poi una gran confusione, gente che rideva.

Mi volsi, e vidi Franco Grassi che mi veniva incontro dal marciapiede opposto. Era piccolo e fragile come lo ricordavo, e camminava dondolandosi appena, mentre pensava cose dolcissime. I suoi occhi erano verdi, i capelli neri, quasi un bosco, gli mangiavano il viso sottile, era molto elegante, e si succhiava un dito, guardandomi, come un bambino.

— Ho quasi finito la prima parte del mio romanzo, — mi disse stendendomi una mano piccola e un po' stanca, — ma ora non ne sono più contento. Tu, come stai? Che guardi? — soggiunse meravigliato.

Guardavo il portone: la folla s'era aperta per lasciare uscire due donne, una delle quali si copriva la testa con uno scialle. Solo una mano nera e vecchia ne veniva fuori. Gridava con una voce che non doveva essere la sua normale, piena di collera, come se il suo orizzonte non fosse il medesimo, chiaro e delicatamente colorato, che noi vedevamo, e anzi non vedesse più le cose umane, ma si trascinasse in un sotterraneo, gridava:

— *Pecché nun fa juorno? Che vo' di' sta nuttata?* [1].

— Mammà, calmatevi, Dio ci ha voluto gastigare, nella sua bontà infinita... — singhiozzò la giovane.

Entrarono, forse per la prima volta nella loro vita, in un tassì sgangherato, che aspettava all'angolo. La giovane, forse, si pavoneggiava, la vecchia mostrò un attimo, attraverso lo sportello, un viso rosso, come se avesse bevuto, e incantato. La macchina si allontanò nella gran luce che cominciava a colorarsi di azzurro e di rosa, nessuno parlò più e, a poco a poco, con strani sorrisi, la folla si disperse.

Franco, vicino a me, aveva guardato tutto con occhi limpidi e attenti.

— Quello che non mi convince più, — riprese dopo qualche momento, — è il discorso troppo elaborato. L'orgoglio ci tradisce, a volte, nelle autobiografie soprattutto. Posso offrirti un caffè?

Camminandogli accanto, sapevo che la sua indifferenza era controllo. Tutti erano indifferenti, qui, quelli che

---

[1] Traduzione letterale: « Che cosa significa questa notte? »

desideravano salvarsi. Commuoversi, era come addormentarsi sulla neve. Avvertita dal suo istinto più sottile, la borghesia non smetteva di sorridere, e urtata continuamente dalla plebe, dai suoi dolori sanguinosi, dalla sua follìa, resisteva pazientemente, come un muro leccato dal mare. Non si poteva prevedere quanto questa resistenza sarebbe durata. Infine, anche la borghesia aveva dei pesi, ed erano l'impossibilità di credere che l'uomo fosse altra cosa dalla natura, e dovesse accettare la natura in tutta la sua estensione: erano l'antica abitudine di rispettare gli ordinamenti della natura, accettare da essa le illuminazioni come l'orrore. Dove nel popolo scoppiava di tanto in tanto la rivolta, e dalle alte mura della prigione uscivano bestemmie e rumore di pianti, qui la ragione taceva in un silenzio assoluto, temendo di rompere con una benché minima osservazione l'equilibrio in cui ancora la borghesia si reggeva, e vedere i suoi giorni sciogliersi al sole, come mai stati. La paura, una paura più forte di qualsiasi sentimento, legava tutti, e impediva di proclamare alcune verità semplici, alcuni diritti dell'uomo e, anzi, di pronunciare nel suo vero significato la parola uomo. Tollerato era l'uomo, in questi paesi, dall'invadente natura, e salvo solo a patto di riconoscersi, come la lava, le onde, parte di essa. Da Portici a Cuma, questa terra era sparsa di vulcani, questa città circondata di vulcani, le isole, esse stesse antichi vulcani; e questa limpida e dolce bellezza di colline e di cielo, solo in apparenza era idillica e soave. Tutto, qui, sapeva di morte, tutto era profondamente corrotto e morto, e la paura, solo la paura, passeggiava nella folla da Posillipo a Chiaia.

Passando davanti a Vico Rotto San Carlo, ora piazzetta Matilde Serao, scorgemmo davanti al Bar Leda due o tre anime. Una, era l'antico giovane Orio Bordiga, figlio di Amadeo, l'ex capo dei comunisti italiani. Impinguito, ma sempre così dolce e assente come ai tempi del Guf, inchinava un po' sul petto la grossa testa dove diradavano i capelli, e solo apparentemente si guardava intorno. Sapevo da tempo che aveva fondato la S.A.S.E. (Società Autori Senza Editori), e probabilmente le cose non andavano a gonfie vele. Cose passate dovevano, ogni tanto, tornargli a mente, perché ogni attimo più abbassava sul petto il mento. Il traffico delle macchine e della gente (era l'ora che molti giornalisti uscivano dal palazzo di fronte, dove si trovano le redazioni dei varî giornali), non lo distraeva, e nemmeno sembrava seguire ciò che avveniva vicino a lui. Quasi nel centro della piazzetta, con una tazza di caffè in mano e alcuni fogli nell'altra, Vittorio Viviani, con la sua testa di fauno innocente, andava leggendo tutto felice, a voce alta, la prima parte del suo romanzo ancora inedito, dove si narra l'amore di una monaca. Chi lo ascoltava, più del giovane Orio, era il ragazzino del Leda. Con un vassoio carico di tazze, che doveva distribuire alle varie redazioni e cronache del « Mattino », « Corriere di Napoli » e « Unità », s'era tutto incantato, e ora il bricco del caffè vacillava. A una finestra del « Mattino », stava seduto sul davanzale uno dei redattori, un giovanotto col petto bruno e seminudo nella camicia aperta, e mangiava lentamente dei semi, di cui poi sputava giù, tranquillo e assorto, le scorie. Dal portoncino della S.E.M., proprio sotto quella finestra, uscì un giovane pallido e fine, con gli occhiali e un buon sorriso sulle labbra. Si fermò, evidentemente distratto, a spiare il tempo, e in quell'attimo lo riconobbi: era Lapiccirella Renzo, uno dei più puri marxisti di Napoli. Da varî anni, tra fame e freddo, non parlava quasi più, ma i suoi occhi rimanevano limpidi e fissi lontano, come quelli di un cristiano morente. Una grossa macchina si fermò davanti al marciapiede, e ne scese un uomo gigantesco, ben vestito: era Ansaldo, direttore de « Il Mattino ». Si diresse rapido, mentre con un dito toglieva un po' di cenere dal risvolto della giacca, verso il portone della S.E.M., e al suo passaggio, silenziosamente, come una statua di angelo su una tomba, il Lapiccirella si scostò. Quel redattore, dall'alto, continuava a sputare semi.

Tutto era così nitido, e quei vari personaggi di una scena che avrebbe anche potuto dirsi serena, erano così gravi nella loro precarietà, e la loro malinconia, le solitarie battute, i sospiri, così perfetti, che per un attimo fui tentata di cercare il regista di un così squisito lavoro; e pur non vedendolo, e dicendomi che non esisteva, e che quella non era una scena composta, ma uno dei tanti attimi allucinanti di Napoli, provai disagio al pensiero di entrarvi, quasi non circolasse entro quel vicolo la normale aria del mondo, e quelle cadenti mura, quel grigio e gli strani rosa ed i verdi potessero, toccandoli, dileguarsi. Dissi a Franco che un caffè potevamo prenderlo anche al « Gambrinus », se voleva.

— È lo stesso, — mi rispose, — forse un poco più nero.

Questo caffè si trova all'angolo di Piazza Trieste e Trento con la tortuosa Via Chiaia. Vi avevo passato molte ore nelle mie notti napoletane, e lo ricordavo grande, pieno di fumo e di specchi. Adesso, fin le vetrine mi sembravano più piccole.

Come uscendo da un sogno talvolta cadete in un altro, e il cervello appena desto di nuovo s'oscura e, dentro, una mano invisibile accende ancora miriadi di lampade, vidi persone che avevano riempito tutte le pagine del dopoguerra a Napoli, le rividi senza l'alone allegro del dopoguerra, nei vapori di una sera d'estate.

Il ragazzo di Monte di Dio

Il primo del gruppo, era il figlio del colonnello Prunas. Indossava una camiciuola di cotone su un paio di calzoni di tela blu. Aveva scarpe nere, piccole, da bambina, come del resto le sue mani scure e tutta la minuta persona erano più simili a quelle di un adolescente che di un uomo. Al polso, legato con una cinghietta scolorita, gli brillava un orologio fuori moda. Pallide lenti, gettavano un'ombra sul suo viso inchinato, di un bruno giallo, magro e silenzioso. Solo le labbra erano animate da un sorriso impercettibile, pieno di ostilità, mentre il resto del volto rimaneva impassibile. Era così fermo da sembrare morto, morto in piedi. Invece ascoltava.

Al suo fianco, più alto di statura ed esile al suo confronto, un po' curvo e in atto di sfogliare certe carte, stava l'uomo che avevo creduto intravedere a una finestra di Via Giacinto Gigante. Doveva aver lasciato Milano da qualche tempo. Non era più vestito di giallo, come quando lo avevo conosciuto, secondo lo stile di quegli intellettuali provenienti da una borghesia disagiata, che nei primi anni del dopoguerra rinnovarono il loro guardaroba sulle bancarelle dello smercio alleato. Un lustro non era passato inutilmente. Calzoni neri, attillati, gli fasciavano le gambe alte ed esili; una camicia di seta bianchissima gli vestiva il petto incavato e le braccia. Sul mento gli era cresciuta una peluria bionda, a punta, che accentuava l'espressione estatica, scoraggiata e avida insieme, del volto, degli occhi. La sua testa si muoveva in qua e in là, rassomigliando in qualche modo a due cose: un'aquila morente ed un fiore. Aveva la stessa dissanguata ferocia, e la grazia. In una delle mani reggeva delle carte nitidissime, coperte di una larga e confusa scrittura, nell'altra una sigaretta. Una tazza di caffè, vuota, era posata sul banco davanti a lui.

Un poco distante da questi due giovani, e guardandoli vagamente, con un occhio insieme acuto e malinconico, un uomo ancor giovane, alto, il viso stretto e pallido, conversava affabilmente e, ogni tanto, s'interrompeva per un piccolo sbadiglio. Era Nino Sansone, direttore dell'edizione napoletana dell'« Unità ». Non aveva l'aria di stare in quella compagnia con piacere, ma neppure con disgusto, piuttosto con una pacata rassegnazione. Intorno, come selvaggi uccelli bianchi, andavano e venivano le bluse attillate di molti marinai USA. Le porte a vetri si aprivano e chiudevano continuamente per lasciar passare questa gioventù che saliva dal porto, pieno anche quel giorno di pallide navi d'acciaio.

Il primo a notarmi fu il Gaedkens, che smise di leggere e fece « oh! » lentamente. Il Prunas se ne accorse di riflesso, e volse il capo con un'espressione che fu a un tempo di sorpresa e timore. Il tenue sorriso crebbe, poi disparve di colpo, dal suo viso silenzioso.

Franco entrò prima di me nel locale, dicendo queste semplici parole:

— È tornata e vi saluta.

— Bene, come stai? — disse il Gaedkens. — Noi, eccellentemente.

In questa franchezza, che andava al di là del necessario, pari piuttosto a una sfrontatezza, e nell'estrema calma e il sorriso di chi non potrà mai più sorprendersi di alcuna cosa, e neppure patire o gioire se non meccanicamente, lo riconobbi; e anche in quel che di forte, come una collera, un sogno o una stanchezza, che gli si accese remotamente in un occhio, guardandomi.

Strinsi questa e quell'altra mano, e dovevo notare che tutte erano asciutte e un po' fredde, non sudate come quelle di Luigi, né roventi come quelle di Rea. Subito dopo, il Prunas si tolse gli occhiali, con un gesto che gli era abituale nei momenti d'angoscia, e li pulì contro la camicia: gli occhi apparvero grandi, neri, assorti, appena segnati da un filo rosso di stanchezza, e senza alcuna luce.

— Due caffè, — ordinò Franco, appoggiandosi tutto, nella sua stanchezza, al banco. E rivolto a Nino: — Una donna si è buttata dal balcone mezz'ora fa, e devo correre a fare l'articolo.

— Sì, ho sentito, — rispose con un piccolo sbadiglio il giovane, — passando per Santa Brigida ho sentito commentare l'accaduto. È morta subito.

— Qui si uccidono sempre allo stesso modo, — disse il Gaedkens con ironia. — Il balcone. I balconi e le finestre della nostra città, sembra non abbiano nessun'altra funzione.

Il Prunas non fiatava.

— Vedo che sei tornato a Napoli, — dissi al Gaedkens. — Ti credevo a Milano.

Gettai lì queste parole nella speranza che smuovessero qualcosa. Da alcuni momenti, provavo la stessa agghiacciante sensazione di quando mi ero fermata a contemplare Vico Rotto: che tutto fosse pensato, immaginato, sognato, e anche realizzato artisticamente, ma non vero: una inquietante rappresentazione.

— Non proprio a Napoli, ma nel mezzogiorno. Vivo a Ostia, e il sabato torno a vedere il Vesuvio. Come potrai immaginare, — mi spiegò ridendo, — il Vesuvio è solo un modo di dire. In realtà, mi tengo in contatto con gli amici.

Su quali fossero questi amici, non rimaneva alcun dubbio: uno di essi era là, col viso pallido, attento.

Mi sentii osservata con un'intensità terribile, e scopersi dietro gli occhiali, che il Prunas si era rimessi, un dolore e una curiosità infinita. «Devi avere pietà», dicevano quegli occhi spenti, « devi evitare di guardare. È vero che siamo morti? » chiedeva, « è vero che siamo stati assorbiti dalla città, e ora siamo in pace? » Forse mi sbagliavo, perché il ragazzo disse a questo punto, con un accento rapido e duro, che smentiva quella supplica:

— Ti sembreremo dei provinciali, immagino.

— Affatto, — stavo per rispondere, ma ero turbata. Il giovane di sinistra sbadigliò ancora. Era un tic, soltanto, ma dava al suo fine volto un'espressione di distacco e di noia, mentre invece tutto il suo cervello pensava.

— Io non andrei a Milano, perché ho qui il mio lavoro, — disse, — ma non capisco chi ha trovato del lavoro a Milano, e lascia quella città per tornare nel Sud.

Oh, non faccio allusione ai vantaggi economici, ma Milano è incantevole, specialmente l'inverno, con le sue nebbie. Una vera città stendhaliana.

— Su questo possiamo essere d'accordo, — ammise il Gaedkens.

Franco mi porse il caffè, che intanto era sceso, tutto cupe stille, nelle due tazze.

— Quando sono stanco, — proseguì Nino, — sogno spesso di passare a Milano un inverno. Mi rinchiuderei in un alberguccio della periferia, e rimarrei intere giornate a guardare la nebbia, seduto dietro una finestra. Una volta sono stato in Normandia. Che pace, e come soltanto immaginato il rumore del mare. La nebbia rinnova per me queste sensazioni, di quiete e di vita insieme.

Nel dire ciò, i suoi occhi divennero più neri e dolci, il viso si abbassò, un altro piccolo sbadiglio torse la sua bocca, e senza aggiungere altro, il direttore del quotidiano di sinistra disparve.

— Divertente, — disse il Gaedkens, mentre uscivamo.

Le sue labbra sorridevano, ma gli occhi s'erano fatti pensierosi.

Ci avviammo così in gruppo, senza parlare, per la strada di Chiaia, incassata tra Monte di Dio, che si raggiunge con un ascensore, e le degradanti propaggini del Vomero. Non sapevamo dove saremmo andati, e non avevamo alcuna intenzione di andare in qualche posto. Ma una volta per le vie di Napoli, non potete fare a meno di muovervi in questa o quella direzione, senza alcun proposito. Di solito, giunti a Napoli, la terra perde per voi buona parte della sua forza di gravità, non avete più peso né direzione. Si cammina senza scopo, si parla senza ragione, si tace senza motivo, ecc. Si viene, si va. Si è qui o lì, non importa dove. È come se tutti avessero perduto la possibilità di una logica, e navigas-

sero nell'astratto profondo, completo, della pura immaginazione. Una cosa avvertivo, alla mia sinistra, dove
camminava il ragazzo Prunas: ed era questa cosa un
dolore così concreto, così smisurato nel suo silenzio, da
costituire il solo contrappeso possibile alla dolce anarchia
della terra. Da pochi momenti, dal breve colloquio al
« Gambrinus », quel dolore si era fatto coscienza, lucidità, violenza. L'amico della ragione mi odiava, per le
memorie che gli riportavo, per lo specchio che gli offrivo,
concavo specchio, dove la sua giovinezza si deformava.
Ed era ancora strano come, sotto quella specie di morte,
quella vaga decadenza di pelle, sguardi, parole, io sen-
tissi battere ancora, a colpi secchi, la vita. Il ragazzo di
un tempo, vivo sotto quella morte, pensava.

Ed ecco il dialogo che si svolse, mentre passeggia-
vamo, ed anche Franco aveva dimenticato l'urgenza del-
l'articolo:

PRUNAS: — Anche noi saremo divertenti, m'immagino.

IO: — No, non troppo.

PRUNAS: — Questo è ancora peggio, naturalmente.

GAEDKENS: — Per fortuna, niente può offenderci.
Questo è il solo vantaggio di Napoli.

FRANCO: — E poi, qualunque cosa pensi, noi la pen-
savamo.

PRUNAS: — Allora, di' la verità.

Mi ricordai quante volte il Rea mi aveva assalita con
questa curiosa interrogazione, e dissi al Prunas che mi
colpiva, in quel momento, trovare in lui le stesse parti-
colarità ossessive del Rea. Sapevo che questa osservazione gli avrebbe fatto male. Infatti gli vidi abbassare
il viso, e sorridere del suo breve, triste sorriso. Ma un
momento dopo aveva rialzato il capo. E notai una cosa
già osservata altre volte, e che sempre mi aveva stupita:
c'era in quella testa una forza di bestia selvatica, di ge-
nerazioni intatte, incapaci di pensare veramente la parola
morte. A Napoli, il ragazzo sardo si era coperto di mise-

ria, ma non era morto; era antico, ma non morto ancora, perché incapace di pensare nella sua testa la parola morte. Incapace di commuoversi e farsi triste, se non a momenti, subito dimenticandolo. La sua sete di vita, la sua capacità di costruire vita, soffocate, enormi. E ancora mi si presentò alla immaginazione la figura di una bestia asciutta e indomabile. Con un duro sorriso:

— E Rea come stava? L'avrai visto, m'immagino.

— Sì, l'ho visto.

— Anche Luigi avrai visto, e Incoronato, e La Capria.

— Luigi, sì. Incoronato e La Capria, no, e neppure Michele. Solo Pratolini.

— Ed era soddisfatto, Pratolini, m'immagino.

— Sì... non del tutto, però.

— A motivo di Rea, m'immagino.

— O di Napoli, ch'è lo stesso, — dissi io, — e non posso dargli torto.

— Perché? — disse il Prunas. — Napoli non ti soddisfa?

— No, — risposi, — questo silenzio non mi soddisfa.

— Perché, non parlano forse tutti? — disse allegro il Prunas. — Dove sarebbe questo silenzio che t'impressiona? Hai visto una città più loquace?

— Non l'ho vista, davvero, e nemmeno così silenziosa.

Camminando, ci eravamo disposti in questo modo: il Prunas e io avanti, il Gaedkens e Franco, dietro. Il Gaedkens parlava, parlava e la sua voce rassomigliava al silenzio. Era la voce di uno che amava la forma, sempre squisita, e perciò remota, non voce d'uomo, ma eco. Franco gli rispondeva a monosillabi, a volte non gli rispondeva affatto, e sentivo dietro quei monosillabi o silenzio, un discorso più completo. Il Prunas, a quelle mie parole, non aveva obiettato nulla, abbassando di nuovo il capo.

Mi ricordavo che da queste parti, una volta, c'era stato il Circolo del Cinema. Il Prunas, chiuso il giornale, non aveva avuto pace finché non aveva trovato da fare qualche altra cosa, e si era messo d'accordo, ancora una volta, coi tristi uomini della « Voce », ora « Unità ». Aveva così, poco alla volta, preso la direzione del Circolo del Cinema, e portato nelle sale di Via dei Mille, fra molti altri film, L'Incrociatore Potemkin. Era stata, quella, una mattinata incredibile, con la sala piena di visi attoniti, feriti profondamente da qualche cosa. Non parlavano, ma assorbivano tutto: la feroce nudità, il coraggio, la musica profonda delle inquadrature. All'uscita, e nei giorni seguenti, avevano fatto capo tutti alla Sant'Orsola, una stanzuccia piena di libri, tra il Palazzo Cellamare e il Ponte di Chiaia, adibita originariamente a biblioteca. Era un tempo di primavera, e il cielo di Napoli aveva lo stesso colore di un cielo d'Europa, dove gli uomini camminano. Molte speranze erano nate in quel giorno, strane speranze tra la veglia e il sonno, e avevo visto Renzo Lapiccirella e gli altri uomini dell'« Unità » sorridere, conversando gentilmente con gli ultimi ragazzi del « Sud ». Eravamo giunti in quel punto, adesso, fra il nobile palazzo ed il ponte, davanti ai cancelli della Sant'Orsola. Questi cancelli erano aperti, e anche la porta del locale, in fondo al breve cortile, era aperta.

— Entriamo? — dissi, e mentre lo dissi mi domandavo se ci eravamo veramente fermati davanti alla Sant'Orsola, o non avevamo sbagliato di una o due porte.

Né il Prunas, né Franco, né il Gaedkens risposero. Questi ultimi sembravano imbarazzati, mentre il figlio del colonnello guardava dentro, indifferente, impassibile.

Guardai anch'io, ed ecco ciò che vidi.

La stanzuccia, dove un tempo si radunavano i ragazzi, era fiocamente illuminata, non come prima, quando molte lampade gettavano intorno una bianca luce. Al posto del tavolo c'era adesso un breve banco, e dietro quella specie di cassa una donna barbuta e bruna, con grandi occhi languidi sotto la fronte torva, sedeva vendendo dei biglietti. Un po' di gente, incantata e magra, sostava davanti a quel banco, osservando un cartello dove c'era scritto: « Ingresso Lire 150 ». Un po' guardavano il cartello, un po' una tenda scura che nascondeva la porta di un'altra stanza. Di là, da quella porta, venivano un silenzio e un freddo singolare, come se vi giacessero delle serpi. Qualcuno entrava, qualcuno usciva, poveri uomini e donne, in viso un'eccitazione anormale. A un certo punto, dietro la tenda rimasta aperta per un attimo, brillò qualcosa di chiaro, e in quella cosa — niente più di una bara di vetro, — si vedeva una forma allungata. Era un uomo vestito di nero, e sorridente, che guardava intorno pazientemente, fumando una sigaretta.

Io non capivo se mi trovavo in Via Chiaia o in una lontana città esotica, o a Parigi, forse; mi domandavo anche se avessi bevuto qualcosa di forte, in quel mio girovagare ansioso per Napoli. Sentivo e non sentivo le parole di Franco.

— Quello è un fachiro, — mi diceva il redattore del « Giornale ». — Digiuna già da varie settimane.

— Nel Circolo del Cinema? — io dissi.

— Ora non è più il Circolo del Cinema.

— E perché mai?

— Non pagavamo, — disse con ironia il Gaedkens.

— I napoletani, — disse con dolcezza Franco, — preferiscono giustamente questi spettacoli ad altri. Sono più riposanti. Sono, infine, la contemplazione e la penitenza, cioè Napoli.

Guardai il Prunas, e mi parve ancora più piccolo di quanto mi fosse parso prima, più che piccolo, rimpiccolito, come quelle teste d'indigeni che alcune tribù brasiliane riducevano alle proporzioni di un'arancia. Non sorrideva né muoveva ciglio, impassibile. E mi venne di domandarmi se fosse estremamente vivo, o solo estremamente morto.

Per un tempo che posso calcolare in questo modo: il cielo non era più roseo, ma viola, ed era discesa la sera, rimanemmo tutti fermi davanti a quel cancello, guardando, attraverso il cortile illuminato, il basso edificio della *Sant'Orsola*. Guardavamo il cartello a modo del pubblico normale, quasi considerando la possibilità di fornirci di un biglietto d'ingresso. Alla fine, io domandai al ragazzo di cui scorgevo al mio fianco un sorriso smorto, gli domandai gentilmente che cosa di preciso facesse a Napoli.

A questa domanda, non vi fu nessuna risposta.

— Ma lavori? — io ripetei, — o almeno pensi di lavorare?

Il sorriso smorto, al mio fianco, divenne appena più teso, poi disparve. Il ragazzo si soffiava, indifferente, il naso.

In quel suo soffiarsi il naso in un fazzoletto pulitissimo, soffiarselo seccamente, era non so che impaccio infantile, e che testardaggine. E dissi ancora:

— Hai speranza di qualche cosa?

Fu come se avessi parlato davanti a un muro, ritto in una pianura abitata solo dal vento.

Allora fui certa ch'egli era veramente morto, finito. Si era ostinato e perduto, benché a prima vista non apparisse. Nessuno di quelli che avevo finora incontrato, mi aveva nascosto così la sua morte. Avevo visto la dichiarazione di fine, di fallimento, scritta in caratteri abbastanza chiari su ogni volto, come un avviso di tribunale affisso su una povera porta: dietro, s'intravedeva il fuoco che sta per spegnersi, una spalla curva, un occhio spaventato; o anche un fuoco selvaggiamente acceso, ma che si spegnerà. Qui, su questa faccia di pietra, non era scritto niente: anche i toni ironici, i rapidi lampi, i sorrisi inquieti non rivelavano l'interno della ragione, non avvisavano di ciò che accadesse là dentro; piuttosto volevano fuorviare l'attenzione, che attrarla. La convinzione di poco prima, che l'energia del nostro compagno fosse

inesauribile e la sua speranza indomabile, era svanita,
effetto di nervose impressioni dovute all'eccitamento
del caffè. Quello che vedevo al mio lato, fra gli altri ragazzi muti, era un piccolo uomo dal viso appassito, dallo
sguardo monotono. Uno che non aveva più il coraggio
di alzare gli occhi, di riprendere un discorso, di pensare
un pensiero chiaro, logico. La città lo aveva distrutto.
E perché non avrebbe dovuto distruggerlo? Tutti erano
caduti, qui, quelli che avevano desiderato pensare o
agire, tutte le lingue si erano confuse ed erano andate
a incrementare la dolorosa vegetazione umana. Questa
natura non poteva tollerare la ragione umana, e di fronte
all'uomo muoveva i suoi eserciti di nuvole, d'incanti,
perché egli ne fosse stordito e sommerso. Anche questo
ragazzo era caduto.

Così pensavo, irritata e triste, e, ora, dietro le mie
spalle, il Gaedkens sembrava confermare, col suo accento
vago e monotono, di momento in momento più vago,
come se la sua immaginazione si lacerasse, i miei dubbi.
Parlando di Napoli come terreno fenomenico, si compiaceva della labilità di questa terra, che continuamente
mutava forma, e dove nulla era stabile, e tutto generava
inganno e spavento. — Al posto di questo fachiro, —
andava spiegando urbanamente al giovane Grassi, — è
molto probabile che, domani, si veda un castello. Qui,
dove c'è la putrida Chiaia, stanotte stesso può sostituirsi
il mare; e là, dove vedi il Vesuvio, possono domani riap-
parire i Greci, con le loro famiglie e i giuochi. Lauro
si può trasformare come niente in un pino —. Non
avevamo visto i marxisti più puri guardare intorno con
occhi grandi, ed altri balbettare il loro desiderio di nebbia? E tutti i giovani scrittori che io avevo conosciuto,
non tessevano forse l'elogio della loro antica madre?
Ve n'era uno che gettasse sulla natura il lume della ragione umana? Tutti, tutti dormivano ora vicino al mare,
dormivano da Torre del Greco a Cuma.

— E con questo? — chiese a un tratto, tranquillamente, il Prunas.

— Con questo, niente, — disse sorridendo il Gaedkens. — Tu puoi chiamare per secoli, nessuno risponde.

Il ragazzo ebbe di nuovo un sorriso, così vivo e incredulo, così inadeguato all'ora e alle parole del Gaedkens, che ancora io mi meravigliai. Ma non aggiunse parola.

Lasciammo i cancelli della *Sant'Orsola*, e riprendemmo a camminare, finché non fummo in quella Via Filangieri, dove la sera avanti avevo visto Guido soffiarsi con un ventaglio da donna e parlare con tanta angoscia di Luigi. Luigi fu improvvisamente davanti a noi, zoppo, ma ancora alto e bello, con la sua fine testa oscurata da una maschera, attraverso cui era visibile l'azzurro degli occhi. Lo vedemmo proprio là, sotto l'orologio, con la moglie e il figlio. Camminava lentamente, un po' curvo, il volto in avanti, come cercando qualcosa. Tutti lo vedemmo così, ma non era che pura immaginazione. Luigi, a quell'ora, nella sua casa solitaria, spiava la porta a vetri per vedere chi passava sulla strada, o salutava con una smorfia un amico.

E vedemmo anche La Capria: si appoggiava indolentemente a un amico, girando intorno il suo profilo delicato, l'occhio incredibilmente amaro. Ci salutò con un gesto, ma sapevamo ch'era stata pura immaginazione: forse a Roma, a quest'ora si piegava su un tavolo della Radio.

Poco dopo, vedemmo altri: Vasco camminava con Incoronato, Rea, trascinandosi appresso la smarrita Cora, cercava nella folla Luigi. Michele Prisco, lontano da ogni sospetto di meraviglia o terrore, conversava garbatamente con delle signore.

Tutti, tutti erano presenti ai nostri occhi: i dispersi ragazzi di « Sud », gli stanchi uomini della « Voce »; e tornava con essi la folla di giornate inutili, piene di vento, miste di sole e di pioggia, inutili perfettamente, se non avevano lasciato traccia di quest'angoscia.

A questo punto, il Prunas si staccò da noi e corse avanti per Via Filangieri, come se avesse visto qualcosa o qualcuno che lo interessasse. Volevo sapere chi o che cosa aveva visto, e anch'io mi staccai dagli altri (che dopo non vidi più, erano tornati a casa), e lo raggiunsi. Il suo vecchio viso rimaneva pallido e duro come nei migliori giorni dell'adolescenza. Non mi parlò, né io gli dissi qualcosa. Camminammo un po' insieme per Via dei Mille, ora stranamente deserta, oltrepassammo anche il Caffè Moccia, dove Cardillo, nello stesso atteggiamento della sera prima, guardava Slingher e Capriolo che continuavano a dissertare sul dialetto partenopeo, e Vincenzo Montefusco sedeva ancora davanti a un tavolino vuoto, girando ogni tanto, a causa del suo tic, il collo. Andammo più oltre, e io mi ricordavo di averlo visto sempre così, negli anni in cui faceva « Sud », dirigersi alla tipografia: con questi passi piccoli e rapidi, senza guardare nulla, freddissimo, intento nei suoi pensieri di cose da fare. Mi parve di capire, con immensa meraviglia, ch'egli non avesse immaginazione né sentimento, almeno secondo il modello comune, o avendoli li considerasse come un'energia che va controllata continuamente, e questo gli permetteva di non aver paura di Napoli. Come tutte le mostruosità, Napoli non aveva alcun effetto su persone scarsamente umane, e i suoi smisurati incanti non potevano lasciare traccia su un cuore freddo.

Così, ripresi il colloquio di poco prima; forse, da solo, il ragazzo avrebbe risposto.

— E che cosa pensi di fare, allora? — ricominciai a chiedere gentilmente, come già del tempo non fosse passato.

La risposta, secca, fu:

— Nulla.

— Come nulla? — insistei.

— Nulla, se non ho denaro, voglio dire.

— E se avessi il denaro?

— Macchine, una tipografia.

— Le macchine può portarle chiunque, — dissi, — purché abbia il denaro.

— Non sarebbero le stesse macchine, — rispose freddo.

— Le tue, come sarebbero?

— Macchine libere, — disse.

— Le macchine non sono soltanto macchine, forse? — obiettai quietamente.

— Vi sono macchine e macchine, — rispose. — Macchine che sono fatte dagli uomini, e macchine che *sono regalate* agli uomini. Quelle che li guariscono, sono le prime.

— Vuoi dire che debbono nascere a Napoli, non essere portate? Questo vuoi dire?

— Certo.

— Ma tu non hai denaro per nulla, mi pare.

— Neppure un soldo.

— E allora?

— Allora, niente.

— Sono passati già alcuni anni, — dissi gravemente, — molti sono invecchiati, forse lo hai notato anche tu. Due rughe, un tic che si fa più deciso, sembra niente.

A queste parole sussultò, poi parve tornare indifferente.

— Non è possibile che non succeda mai niente. Un giorno, forse, capiterà qualcosa. Allora mi farà piacere essere rimasto qui, ad aspettare.

— E se non capitasse nulla?

Non rispose. Tornò ancora, come un ragazzetto testardo, a soffiarsi il naso, ed era per non rispondermi.

Non sapevo più se mi facesse pietà, o lo ammirassi. Era così piccolo e ostinato: presto Napoli avrebbe soffocato anche lui nelle sue braccia smisurate. Era come una formica rossa sul versante della Montagna: non vedeva o non tollerava la terribile maestà di questa; correva leggera e insensibile pensando di costruire qui le sue difese, le sue fortezze.

— Ora vai a casa? — chiesi vedendo che si fermava.

— Sì, ho un sonno cane.

Sorrise appena, mentre mi stringeva la mano, poi tornò indietro. Stetti a guardarlo ancora un poco, finché non lo vidi più. Rapido com'era, doveva già aver raggiunto Monte di Dio.

Allora tornai al mio albergo, e pensando tanti casi e persone passò la notte, e riapparve l'alba del giorno in cui dovevo ripartire. Mi accostai alla finestra di quella casa ch'era alta come una torre, e guardai tutta Napoli: nella immensa luce, delicata come quella di una conchiglia, dalle verdi colline del Vomero e di Capodimonte, fino alla punta scura di Posillipo, era un solo sonno, una meraviglia senza coscienza. Guardai anche verso le mura rosse di Monte di Dio, dove il ragazzo sardo, così semplice e freddo, forse a quest'ora ancora pensava, chiuso nella sua stanza piena di polvere, e non so che provassi. Non si sentiva che lo sciacquìo tranquillo dell'acqua sugli scogli, non si vedevano che le colline sempre più vive e vittoriose nella luce, e, più giù, le case e i vicoli grigi, i miseri vicoli infetti, dove brillava ancora, sulle immondizie, qualche lume. Ma il giorno diveniva sempre più alto e splendido, e a poco a poco anche quelle ultime luci si spensero.

Indice

Finito di stampare
presso le Officine Grafiche Firenze
per la Vallecchi Editore di Firenze
nel gennaio 1967